D1107419

ALTDEUTSCHE TEXTBIBLIOTHEK

Begründet von Hermann Paul †
Fortgeführt von Georg Baesecke †
Herausgegeben von Hugo Kuhn
Nr. 17

Konrad von Würzburg

Engelhard

Herausgegeben von

Paul Gereke

2., neubearbeitete Auflage

von

Ingo Reiffenstein

MAX NIEMEYER VERLAG / TÜBINGEN 1963

Mit 4 Abbildungen im Text

INHALT

Printed in Germany

Satz und Druck: H. Laupp jr, Tübingen – fotokop GmbH, Darmstadt

EINLEITUNG

Der *Engelhard* Konrads von Würzburg ist uns nur durch einen im Jahre 1573 zu Frankfurt am Main bei Kilian Han[1]) erschienen Druck überliefert, der in drei Exemplaren (in Wolfenbüttel[2]), Berlin[2a], Göttingen) erhalten ist. Das Büchlein trägt den Titel *Ein schöne Historia von Engelhart auß Burgunt / Hertzog Dietherichen von Brabant / seinem Gesellen / und Engeldrut / deß Kônigs Tochter auß Dennmarck / wie es jnen ergangen / und was jammers und not sie erlitten / Gantz lustig und kurtzweilig zu låsen. Vormals nie im Druck außgangen. Gedruckt zu Franckfurt am Mayn / M.D.LXXIII.* Es enthält 132 Blätter in Kleinoktav und ist mit 57 Holzschnitten geschmückt, die zum größten Teil aus verschiedenen Volksbüchern stammen (*Melusine, Fortunatus* u.a.)[3]). Aus der Sprache des 16. Jahrhunderts hat Moriz Haupt die Dichtung ins Mittelhochdeutsche rekonstruiert[4]). Seine völlige Vertrautheit mit Konrads Eigenart, seine bewundernswerte

---

[1]) Über ihn vgl. A. Leitzmann, Beitr. 63, 1939, 407.

[2]) Mir lag das Wolfenbütteler Exemplar vor. Dieses Exemplar hat im übrigen Lessing entdeckt, sein Freund Eschenburg hat daraus die ersten Proben des Engelhard mitgeteilt (in Boies Deutschem Museum 1776, I, 131ff.), vgl. G. A. H. Wolff, AfdA. 19, 1893, 150.

[2a]) Das Berliner Exemplar war bis 1909 im Besitz der Kirchen-Ministerial-Bibliothek in Celle.

[3]) Vgl. Haupts Ausgabe (s. nächste Anm.) S. Vf.

[4]) Leipzig 1844. 2. Aufl. durch E. Joseph, Leipzig 1890 (nach dieser Ausgabe alle Zitate).

Gabe scharfsinniger Konjekturalkritik ermöglichten es ihm, obwohl ihm noch kaum die Hälfte aller Verse des Dichters vorlag, eine sichere Grundlage des oft sehr roh behandelten, nicht selten bis zur Sinnlosigkeit entstellten Textes zu schaffen[5]). Haupts Ausgabe, eine Meisterleistung deutscher Textphilologie des 19. Jahrhunderts, ist auch heute neben dem alten Druck Grundlage aller Bemühung um den Text, trotz vielen Besserungen im einzelnen, die seither vorgenommen werden konnten.

Um die Textgestaltung haben sich neben und nach Haupt u.a. verdient gemacht K. Lachmann, W. Wackernagel, K. Bartsch, später E. Joseph, der Bearbeiter der 2. Aufl. von Haupts Engelhard-Ausgabe, sowie P. Gereke, E. Schröder, A. Leitzmann[6]). E. Schröder hatte in seinen ‚Studien zu Konrad von Würzburg'[7]) Haupt getadelt, er hätte sich in „unrichtigem Konservativismus" zu eng an den alten Druck angelehnt. Dies und die Untersuchungen H. Laudans zur Chronologie und zum Auftakt in den Werken Konrads von Würzburg[8]) haben P. Gereke offenbar ermutigt, in der 1. Auflage dieser Ausgabe in radikaler Weise die Prozentzahl der auftaktlosen Verse zu verringern, indem er „in mehreren hundert Versen den fehlenden Auftakt [wiederherstellte], um der Dichtung auch in dieser Hinsicht ihre Stelle in der chronologischen Reihenfolge zu sichern"[9]). Nun ist gewiß richtig, daß der alte Druck an nicht wenigen Stellen arge Entstellungen aufweist, oft bis

[5]) W. Grimm hatte noch 1840 an K. A. Hahn geschrieben: „Engelhard habe ich von Wolfenbüttel hier gehabt und mit vergnügen gelesen; es ist eine von den beßern arbeiten Konrads, aber ich bezweifle daß es Ihnen gelingt aus diesem text das gedicht ins reine zu bringen, stückweise mag es wol angehen." Aus dem briefl. Nachlaß von K. A. Hahn, Germ. 31, 1886, 373.

[6]) Vgl. die Literaturnachweise am Ende dieser Einleitung.

[7]) Gött. Nachrichten, phil.hist. Kl. 1911, 21.

[8]) Die Chronologie der Werke des K. v. W., Diss. Göttingen 1906; Der Auftakt bei K. v. W., ZfdA 48, 1906, 533 ff.

[9]) In der 1. Aufl. dieser Ausgabe S. V.; Anm. 2 gibt G. an, er hätte die Zahl der auftaktlosen Verse von 1393 bei Haupt auf 973 gesenkt (21,4%:15%). – Der „heiklen Natur" seines Unter-

zur völligen Unverständlichkeit; daß manche veralteten Wörter systematisch durch jüngere ersetzt sind (*minne* durch *liebe, sælde* durch *glück* u.a.[10])); daß eine dem Sprachgebrauch des 16. Jhds ungewöhnliche Wortfolge verändert wurde[11]). Gewiß ist auch richtig, daß da und dort ein Wort ausgefallen ist. Aber daß der Druck an mehreren hundert Stellen ein verstärkendes *vil,* andere Adverbien wie *nû, dâ, dô, hie,* aufnehmende Demonstrativpronomina (Artikel) und andere Kleinwörter getilgt haben sollte, ist so unerweislich wie unwahrscheinlich. So jedenfalls darf Schröders Warnung vor unrichtigem Konservativismus nicht verstanden werden – überhaupt ein gefährliches Wort, das der freien Phantasie leicht Tür und Tor öffnen kann[12]). Eine große Anzahl wichtiger Besserungsvorschläge hat zuletzt A. Leitzmann, Beitr. 63, 407 ff. veröffentlicht. In nicht wenigen Fällen sind ihm Besserungen gerade durch möglichst enge Anlehnung an den Druck gelungen.

Diese zweite Auflage der Gerekeschen Ausgabe beruht nicht auf einer durchgehenden und systematischen Textrevision. Es ist mir zudem fraglich, ob sich dem Druck noch viel über das bisher Geleistete hinaus abgewinnen läßt, obwohl der Text nach wie vor an nicht wenigen Stel-

---

nehmens war sich G. allerdings bewußt, vgl. Beitr. 37, 1912, 438; aber er meint, „eher zu wenig als zu viel getan zu haben“, ebenda.

[10]) Auf Vorschlag Schröders a.a.O. 23 ff. hat schon Gereke an mehreren Stellen *heimelich* durch *tougenlich* ersetzt; die von Schröder ebenfalls vorgeschlagenen Änderungen von *groz* in *michel,* von *wenig* in *lützel* oder *kleine* hat G. nur vereinzelt durchgeführt, wie ich meine zu Recht. Leitzmann hat an mehreren Stellen ältere Präfixkomposita an Stelle moderner Formen vorgeschlagen, worin ich ihm weitgehend gefolgt bin (z.B. *gedienen* st. *verdienen, gegern* st. *be-, belangen* st. *ver-* u.a.), ferner teilweise Ersetzung von *gar* durch *vil.*

[11]) E. Joseph in Haupts Ausg., Anm. zu 5266.

[12]) Schröder selbst ist dieser Versuchung in seinen Vorschlägen nicht erlegen. – Auch Leitzmann Beitr. 63, 414 lehnt Gerekes Verfahren ab.

len besserungsbedürftig ist. Dennoch unterscheidet sich der Text dieser Ausgabe erheblich von dem der 1. Auflage. Einmal bin ich den Vorschlägen A. Leitzmanns an vielen Stellen gefolgt, zum anderen habe ich die von Gereke aus metrischen Gründen (Gewinnung des sonst fehlenden Auftaktes) eingefügten *vil, nû, dô, dâ, der, diu, daz* usw. zum größeren Teil wieder getilgt[13]). Weiteren Änderungen formaler Art waren dadurch Grenzen gesetzt, daß der Text photomechanisch vervielfältigt wird. Vertretbar schiene mir die durchgängige Verwendung der alem. Endung *-ent* in der 2. Pl.Präs., wie sie auch Schröder in seiner Ausgabe der Kleineren Gedichte Konrads durchgeführt hat. Haupt ist da ganz unkonsequent verfahren und hat die alem. Formen (*ir sint, sprechent* usw.) nur dort in den Text gesetzt, wo sie auch der Druck hat; aber daß gerade diese

[13]) Um den Lesartenapparat zu entlasten, stelle ich hier diejenigen von Gerekes Einschüben zusammen, die ich wieder gestrichen habe; im Lesartenapparat ist in den folgenden Fällen die Änderung von Gerekes Text nicht mehr verzeichnet. Einige weitere Fälle (*hin, ie, seht* u. ä.) sind nicht in dieses Verzeichnis aufgenommen, sondern sind bei den Lesarten vermerkt, so auch einige der folgenden Adverbien, wenn an der betreffenden Stelle sonstige Textänderungen verzeichnet sind. *vil*: 389. 557. 601. 661. 721. 873. 893. 911. 981. 997. 1037. 1458. 1548. 1737. 1769. 1834. 1853. 1859. 2139. 2170. 2225. 2382. 2425. 2559. 2625. 2661. 2719. 2737. 2858. 2871. 2968. 3031. 3083. 3279. 3302. 3369. 3625. 3755. 3794. 3934. 4033. 4133. 4161. 4564. 4598. 4833. 4896. 4907. 5057. 5161. 5171. 5808. 5897. 6003. 6019. 6143. 6159. 6205. 6231. 6437. 6464. 6504. – *nû*: 305. 678. 1324. 3320. 3667. 3766. 3778. 3855. 4167. 4190. 4212. 4264. 4395. 4657. 5461. 5507. 6283. – *dô*: 1151. 1600. 1942. 2487. 3474. 3689. 3972. 4153. 4544. 5692. 5961. – *dâ*: 1312. 2542. 2993. 4070. 4799. 4999. 5044. 5691. 6435. – *hie*: 1485. 3813. 3825. 4012. 4093. 4960. 5455. – wiederaufnehmendes Demonstrativpron. (Artikel, immer am Anfang der Verszeile) *der*: 829. 839. 1774. 2173. 4581. 5071. 5117. 5145; *diu*: 495. 1105. 1334. 2469. 3121. 4099. 5249; *daz*: 757. 953. 1253. 1815. 1849. 5001. 5297; *den*: 4251; *die*: 1609. 1615. 2045. 2208. 2657. 3137. 4610. 4731. 5086. 5119. – *sô* (*sô daz* statt überliefertem *daz*) : 158. 1114. 3014. 3687. 3950. 4567. 4895.

dem rheinfrk. Drucker fremden Formen der allgemeinen sprachlichen Modernisierung zum Opfer gefallen sind, ist leicht einzusehen[13a]. Weder Joseph noch Gereke haben aber an Haupts Verfahren Anstoß genommen. Gleiches gilt für den Gebrauch der Kurzform *hân* für *haben* (dazu auch Schröder a.a.O. 22f.). Aus metrischen Gründen ist mir für die Sprache Konrads die Kurzform *künc* wenigstens in den flektierten Formen (*künge, künges*) statt *künec* usw. sehr wahrscheinlich (z.B. 739. 1255. 1269. 1282. 1443. 2350. 2421 usw.; hingegen sehr selten im Nom. Acc., z.B. 2434. 2787. 3668. 3808, überwiegend in dieser Stellung *künic*).

Der Lesartenapparat – in der ersten Auflage als Anhang nach dem Text gedruckt – steht unter dem Text. Die besondere Überlieferungslage rechtfertigt weitgehende Berücksichtigung auch jener Besserungsvorschläge, die nicht übernommen wurden – nicht zuletzt, um weitere textkritische Arbeit vor allem an den schwierigen Stellen anzuregen (V. 1929f., 2730ff. u.a.). Diese Lesarten stehen in Klammern hinter der Lesart des Druckes oder – wo unser Text mit dem Druck übereinstimmt – hinter der Lesart des Textes. Verzeichnet sind nur echte Textabweichungen; alle orthographischen Abweichungen im weitesten Sinn sowie die durchgängigen sprachlichen Veränderungen (z.B. *wenn* für *swenn,* Apokopierungen usw.) bleiben – wie bei Haupt – unberücksichtigt, ebenso in der Regel Abweichungen zu früheren Ausgaben in der Interpunktion und im Gebrauch von *und* und *unde* (Gereke hat in vielen Fällen *unde* aus metrischen Gründen eingesetzt; ich habe hier nicht geändert). Nicht berücksichtigt sind schließlich die Überschriften zu den einzelnen Abschnitten (sie sind in der Ausgabe von Haupt, bzw. Joseph bei den Lesarten mit verzeichnet).

[13a]) Ein Beleg dafür, daß die Vorlage *-ent* hatte, der Drucker dies aber in der Mehrzahl der Fälle zu *-et* veränderte, ist V. 1356: dort steht im Druck *gedencket* für die 3. Pl. Ind. Praes.

Stofflich gehört der *Engelhard* zu den Freundschaftssagen vom Typ des *Amicus und Amelius,* in denen die Freundschaftsprobe (in *Athis und Prophilias* und in den orientalischen Versionen[14] Abtretung der Frau an den Freund, in *Amicus und Amelius* die Stellvertretung im Gottesurteilskampf; das wohl ursprüngliche Motiv der Abtretung der Frau ist hier zum stellvertretenden keuschen Beilager abgeändert) mit dem Motiv der Aussatzheilung durch das Blut Unschuldiger (meist Kinder) verbunden ist (das letzte Motiv allein, ohne Freundschaftsfabel, in deutscher Literatur in Hartmanns *Armem Heinrich* und bei Konrad schon im *Silvester*). Im deutschen Bereich sind die ersten Zeugnisse des Motivkomplexes das mittellateinische Gedicht von *Lantfrid und Cobbo* (in der Cambridger Handschrift) und das thüringische Fragment von *Athis und Prophilias.* Die ältesten Versionen der Amicus-Amelius-Sage, die lateinischen wie die volkssprachlichen, stammen aus Frankreich: ein lat. Gedicht von 204 Hexametern in den *Epistolae ad diversos* des Radulfus Tortarius, eines Mönches der Abtei Fleury (Ende 11. Jhd.), die altfrz. Chanson de geste von *Amis et Amiles* (Anfang des 13. Jhds) und – als ältester Vertreter des „hagiographischen" Typus – eine lat. Prosaversion des 13. Jhds aus dem Kloster St. Bertin (jetzt in St. Omer). Die beste Zusammenstellung der zahlreichen jüngeren Versionen (lat., afrz., mittelengl., dt., nordisch) bietet MacEdward Leach in der Einleitung seiner Ausgabe des mittelengl. Gedichtes von *Amis and Amiloun*[15]; ebendort

[14]) Dazu W. Grimm, Die Sage von Athis und Prophilias, ZfdA 12, 1865, 185ff.

[15]) London 1937, S. XI–XIV. Allerdings nicht vollständig; es fehlen z.B. Hinweise auf den Engelhard, auf des Andreas Kurzmann (gest. 1428) Übersetzung ins Deutsche (vgl. VL 2, 1000), auf den verwandten Sagenkomplex von *Athis und Proph.* sowie auf die gewiß unmittelbar abhängige Legende von den *Jakobsbrüdern.* – Zu jüngeren deutschen Bearbeitungen in Novellensammlungen (Hans von Bühel, *Diocletians Leben, Volksbuch von den sieben weisen Meistern*) bis zu Hans Sachsens *Olivier und Artus* vgl. Ehrismann II Schlußband, 49.

finden sich auch Inhaltsangaben der wichtigsten Versionen. Für einen wichtigen Überlieferungsstrang – Leach nennt ihn den hagiographischen – ist die Ausgestaltung der legendären Elemente der Fabel kennzeichnend. Vor allem wurde davon die Vorgeschichte betroffen (Taufe durch den Papst, der den Kindern als Taufgeschenk zwei Becher mitgibt, die im zweiten Teil der Handlung eine Rolle spielen); auch der Schluß ist – moralisierend – verändert: die böse Gemahlin des Amicus, die den Aussätzigen herzlos verstoßen hatte, wird vom Teufel geholt. Die lat. Version aus St. Bertin fügt sogar eine *passio* an: die beiden Freunde fallen als Märtyrer auf dem Feldzug Karls des Großen gegen den Langobardenkönig Desiderius[16]). Die dichterischen Bearbeitungen streifen hingegen gerade solche legendenhaften Züge ab. Die lat. Version, die – nach eigenem Zeugnis[17]) – Konrad vorgelegen hatte, ist entweder nicht bekannt, oder Konrad ist mit ihr sehr frei umgegangen. – Der Anhang (S. 241 ff.) bringt eine schwäbische Übersetzung von *Amicus und Amelius* (aus der Münchener Hs. Cgm 523), die hier erstmals abgedruckt wird[18].

Deutlich zerfällt die Handlung in zwei Teile, in die eigentliche Freundschaftsfabel und in die Legende von

---

[16]) Die katholische Kirche verehrt Amicus und Amelius als Heilige. Ihr Grabmal liegt in der Kirche von Mortara bei Pavia. – Wichtig für die Weiterentwicklung des hagiographischen Typus war die etwas kürzende Bearbeitung, die Vincent von Beauvais in sein *Speculum Historiale* aufgenommen hat, vgl. MacE. Leach a. a. O. S. XIII, Nr. 22.

[17]) Eng. 212 *ich hân si von latîne in rîme alsô gerihtet*; ähnlich 6494 f.

[18]) Eine Inhaltsangabe des Hauptteiles der Prosaversion aus St. Bertin (mit den Abweichungen des Vinc. von Beauvais abgedruckt von F. J. Mone in dessen Anzeiger f. Kunde d. dt. Vorzeit, 5, 1836, 145 ff.) gibt Gereke in der 1. Aufl. dieser Ausgabe S. VI f. Die mhd. Übersetzung im mittelfrk. *Seelentrost* ist abgedruckt in W. Wackernagels Altdt. Lesebuch [5]1873, 1313 ff; vgl. jetzt die krit. Ausgabe von M. Schmitt, Der große Seelentrost (= Nd. Stud. 5), Köln 1959, 229 ff. Noch ungedruckt ist die Übersetzung des A. Kurzmann (s. o. A. 15).

der Heilung des Aussätzigen. Beide Handlungsteile enthalten mindestens zum Teil orientalisches Erzählgut. Für *Athis und Prophilias* hat W. Grimm auf mehrere orientalische Versionen des Sagenstoffes hingewiesen (vgl. oben A. 14); sie bieten gleichzeitig Parallelen zu Motiven der Amicus-Amelius-Sage, besonders des ersten Teiles (die Freundschaftsprobe besteht dort immer in der Abtretung einer geliebten Frau an den Freund; in der Amicus-Amelius-Sage lebt dieses Motiv weiter im stellvertretenden Beilager, das allerdings nicht vollzogen wird; das Motiv des blanken Schwertes, das das Beilager trennt, ist der europäischen Dichtung des Mittelalters ganz geläufig, stammt aber wahrscheinlich auch aus dem Osten[19]). Das Motiv der Aussatzheilung durch das Blut Unschuldiger ist unzweifelhaft orientalischer Herkunft[20].

Mit unzureichenden Gründen hat man germanische Sagenelemente in der Amicus-Amelius-Sage sehen wollen. P. Schwieger hat auf Gunther und Siegfried und auf den stellvertretenden (Brautwerbungs-) Kampf sowie auf das stellvertretende keusche Beilager hingewiesen, hat aber mit Recht Ablehnung gefunden[21]). Auch der Versuch R. von Muths, von den teilweise der deutschen Heldensage entnommenen Namen des *Engelhard* eine „nationale" Sagengrundlage zu erweisen[22]), überzeugt nicht. Die Namen sind sehr wahrscheinlich Konrad selber zuzuschreiben. Obwohl auch bei Konrad das Treueverhältnis zwischen den beiden Freunden im Vordergrund steht – durch den kunstvollen Prolog nachdrücklich als Leit-

[19]) J. A. Asher, Amis et Amiles, Auckland 1952, S. 23.

[20]) Bolte-Polivka, Anmerkungen zu den KHM der Br. Grimm, I, Leipzig 1913, S. 56f. Zur Blutsymbolik vgl. ferner P. Cassel, Die Symbolik des Blutes, Berlin 1882, 158ff.;H. L. Strack, Der Blutaberglaube, München ^{4}1892, 20ff.

[21]) P. Schwieger, Die Sage von Amis und Amiles, Berlin 1885. Vgl. Leach a.a.O. S. XXXIII; J. A. Asher, a.a.O. S. 22.

[22]) R. v. Muth, die Freundschaftssage im Engelhard Konrads von W., Sitzungsberichte der Wiener Ak. d. Wiss., phil.-hist. Kl. Bd 91, 1878, S. 223ff.; ihm stimmt Gereke zu (S. VIII f. der 1. Aufl. dieser Ausgabe).

motiv herausgestellt –, ist die alliterierende Bindung der Freundesnamen aufgegeben und auf die beiden Liebenden Engelhard und Engeltrud, übertragen. Der Grund dafür ist die wohl von Konrad eingeführte Begründung von Engeltruds Liebesentscheidung zwischen den beiden Freunden (vgl. 1168ff.). Die Namen der Hauptpersonen (*Engelhard, -trud, Dieterich*) wie der des Gegenspielers *Ritschier* mögen auch unter dem Gesichtspunkt ihrer bequemen metrischen Verwendbarkeit ausgewählt sein[23]). Die *milte* des Königs *Fruote* von Dänemark ist geradezu sprichwörtlich und ein fester Topos der mittelalterlichen deutschen Dichtung[24]). Bei dem sonst nicht bezeugten König *Wahsmuot von Schotten* (V. 2680) und bei König *Hertnît von Riuzen* (V. 2690)[25]) weist schon die Szene, in der sie vorkommen, darauf hin, daß ihnen kein Gewicht zukommt: die Beschreibung des Turniers in der Normandie (V. 2463ff.) geht sicher auf das Konto von Konrads Vorliebe für Turnierbeschreibungen, der allein ja auch das *Turnier von Nantes* seine Entstehung verdankt. Die Namen dienen hier also bloß der Staffage und bezeugen lediglich, daß Konrad mit der deutschen volkstümlichen Dichtung vertraut war.

MacE. Leach schließlich nimmt an, der Dichter der ersten Geschichte von Amicus und Amelius (er denkt ihn sich in Südfrankreich, im 11. Jhd.) habe zur Hauptsache aus volkstümlichem Erzählgut, aus Märchen geschöpft. Für den in Frage stehenden Bereich kommen z.B. von den Grimm'schen Kinder- und Hausmärchen „*Die zwei Brüder*“ (Nr. 60) und „*Der getreue Johannes*“ (Nr. 6) in Betracht. Leach kann für die einzelnen Motive

---

[23]) So Schröder, Studien a.a.O. III, S. 41. – W. Grimms Herleitung des Namens *Engelhart* aus *Amelius* (über **Amelhart* > *Angelhart*) scheint mir sehr unwahrscheinlich (vgl. Gereke a.a.O. S. IX, A. 1).

[24]) Die Nachweise in Haupts Ausgabe S. Xff. und in den Anmerkungen zu Minnesangs Frühling 25, 19.

[25]) Die Nachweise bei Haupt a.a.O. S. VIII. Vgl. noch K. Müllenhoff, ZfdA 12, 1865, S. 348ff.

der Amicus-Amelius-Sage viele Parallelen aus der Märchenüberlieferung nachweisen[26]). Dennoch bleibt auch hier die Unsicherheit groß, ein schlüssiger Beweis undurchführbar[27]). Es ist durchaus denkbar, daß Einflüsse auch umgekehrt erfolgt sind, von der Dichtung auf das Märchengut[28]).

An Vorbildern ist an erster Stelle Gottfried von Straßburg zu nennen, gefördert noch durch die vom Stoff her gegebenen Parallelen zum *Tristan* (die heimliche und betrügerische Minne, das Gottesurteil). Aber gerade hier, wo Konrad seinem Meister in mancher Hinsicht so nahe kommt wie in keinem anderen seiner Werke, wird doch der Abstand spürbar, der ihn von der Klassik trennt. Über die Bedenklichkeit des Betruges im Gottesurteils-Zweikampf z. B. hat sich Konrad offenbar nicht den Kopf zerbrochen; er stellt die Begebenheit dar, wie sie ihm die Vorlage bot, ohne eine tiefere Begründung zu versuchen (Engelhards und Engeltruds Minne fehlt alles Elementar-Zwanghafte der Tristanliebe, das ein Hinwegsetzen über die konventionelle Ordnung rechtfertigte), aber auch ohne von dem von Gott offenbar angenommenen Betrug her die Einrichtung als solche in Frage zu stellen.

Das Motiv der Aussatzheilung legt einen Vergleich mit dem *Armen Heinrich* nahe. K. Helm hat auf mehrere wörtliche Anklänge der entsprechenden Stellen des *Engelhard* an Hartmanns Legende hingewiesen[29]). Aber wiederum wird angesichts von Konrads Kenntnis des *Armen Heinrich* erst recht der weite Abstand deutlich. Was Hartmann in einem einzigen knappen Vers hinstellt (V. 119 *in ergreif diu miselsuht*), das beschreibt Konrad V. 5144–5171 in allen häßlichen Einzelheiten. Es ist keine Frage, daß Hartmann der Vorzug gebührt. Aber man tut Konrad

---

[26]) Leach a.a.O. S. XXXIVff. Vgl. auch Bolte-Polívka a.a.O. I, S. 42ff., 528ff.

[27]) So auch J. A. Asher a.a.O. S. 24: „... an analogue is one thing, a source is another“.

[28]) Vgl. z.B. Bolte-Polívka I, 56 zum Blutmotiv im Märchen.

[29]) Beitr. 47, 1923, 155ff.

doch unrecht, wenn man ihm seine „künstliche Ausführlichkeit, die an das Ekelhafte streift“ vorwirft[30]). Gerade hierin wird deutlich, daß Konrad eben nicht nur Epigone ist, formaler Vollender der Klassik, deren menschliche und künstlerische Haltung er doch nicht mehr nachvollziehen kann, sondern daß sich bei ihm nicht minder neue künstlerische Auffassungen geltend machen. Konrads Beschreibung von Dietrichs *miselsuht* fügt sich den vielen anderen Zeugnissen an, die ein neues Verhältnis zur Wirklichkeit erkennen lassen. Die genaue Beschreibung aller Einzelheiten einer Begebenheit ist Ausdruck einer Haltung, der es um sachnahe Wahrheit, um realistische, nicht mehr um idealistische Überhöhung der Wirklichkeit geht[31]).

Schließlich hat H. Herzog auf die Ähnlichkeit zwischen der Erzählung der Überraschung der Liebenden und einer Szene im Cligés von Chrestien (V. 6393ff.) hingewiesen[32]). Cligés und seine Geliebte werden in einem von einer Mauer umschlossenen Baumgarten durch den Ritter Bertram überrascht, der über die Mauer gestiegen ist, um seinen entflohenen Sperber zu suchen.

Um die relative Chronologie der Werke Konrads haben sich in erster Linie E. Schröder und sein Schüler H. Laudan bemüht[33]). Obwohl sich eine ganz eindeutige Reihenfolge von der Untersuchung der sprachlichen und stilisti-

---

[30]) Haupt, Ausg. S. XIII.

[31]) Ein schönes Bild für diesen geistigen Umbruch im Spätmittelalter: auf dem Siegel von Ludwig des Bayern Rombulle von 1328 erscheint zuerst in der Entwicklung der Siegelabdrücke der kaiserlichen Kanzlei „Rom in Aufsicht als eine Summe individueller Einzelheiten“ an Stelle der älteren symbolischen Darstellungen (Tor, Mauer, Petrus im Mauerring), an Stelle also der bisherigen „Bildvertretungen für Rom nun das Bild von Rom.“ P. E. Schramm in Hist. Zs. 147, 1933, 162.

[32]) H. Herzog, Zum Clîes und Engelhard. Germ. 31, 1886, S. 325f.

[33]) Die Nachweise bei Ehrismann II, Schlußband, S. 36, A. 6; nachzutragen ist dort R. Ritter, Die metrische Brechung in den Werken Konrads von Würzburg, Diss. Erlangen 1916, S. 60ff.

schen Mittel her nicht hat erzielen lassen, steht doch soviel fest, daß der *Engelhard* in Konrads mittlere Periode gehört. Er ist sicher nach den Novellen seiner frühen Schaffenszeit (*Herzmäre, Der Welt Lohn*), nach der *Silvester*-Legende (wahrscheinlich auch nach dem *Alexius*) und sicher vor den großen Epen (*Partonopier, Trojanerkrieg*) entstanden, etwa in einer Periode mit dem *Heinrich von Kempten,* und vielleicht der *Goldenen Schmiede* und der *Klage der Kunst*[34]). Daß im *Engelhard* kein Gönner, d. h. Auftraggeber genannt ist, wie sonst in den meisten Werken Konrads, hat E. Schröder zu der Überzeugung geführt, daß hier „das eigenste Erzeugnis von Konrads poetischer Schaffenskraft und seinem litterarischen Ehrgeiz" vorliege[35]). Aber man wird doch mit der Möglichkeit rechnen müssen, daß gerade eine solche Nennung vom Drucker, dem sie nicht mehr interessant sein konnte, gestrichen wurde.

Die Nachwirkungen von Konrads Werk im ganzen, seiner künstlerischen Technik (‚musikalisches' Aufbauprinzip: variierende, lockere Komposition), seines Sprachstils, seiner künstlerischen Haltung (Künstlerbewußtsein) auf einen nicht kleinen Kreis besonders südwestdeutscher späterer Dichter und – im äußersten Nordosten – auf die Dichtung des Deutschen Ordens hat W. Kluxen untersucht[36]). Konrads Wirkung liegt nicht zuletzt darin, daß der üppig wuchernden Wolfram-Nachfolge und ihrem Hang zu Schwulst und Dunkelheit als Gegengewicht das in Konrads Nachfolge überall wirkende Streben nach formaler Zucht, nach Klarheit und Verständlichkeit entgegen-

[34]) Die *Goldene Schmiede* hat Schröder (Studien a. a. O. IV, Gött. Nachrichten 1917, 115f.) mit der Erbauung des Straßburger Münsters in Beziehung gesetzt und ihre Entstehung ca. 1277 vermutet. Für Beziehungen zu Straßburg auch bei der Entstehung des *Engelhard* ließe sich das Weiterleben des Amicus-Amelius-Stoffes dort anführen (Jakobsbrüder!).

[35]) E. Schröder, Studien a. a. O. IV, S. 113.

[36]) W. Kluxen, Studien über die Nachwirkung Konrads von Würzburg (bes. in den epischen Gattungen). Diss. Köln (masch.) 1948.

gestellt wird. Auch der für die Spätzeit typische Grundzug der Empfindsamkeit ist bei Konrad schon deutlich angelegt, in späteren Werken wie dem *Peter von Staufenberg* oder Kunz Kisteners *Jakobsbrüdern* allerdings mit mehr Wärme erfüllt als sie Konrad eigen ist.

Stofflich hat der *Engelhard* auf den ersten Teil des *Reinfried von Braunschweig* (um 1300)[37]) eingewirkt, der ja auch stilistisch und kompositorisch (und landschaftlich!) in den engsten Kreis der Konrad-Nachfolge gehört. Das heimliche Treffen von Yrkane und Reinfried (aber ohne letzte Vereinigung wie im Engelhard; Reinfried kann sich daher guten Gewissens gegen die Verleumdungen im Gerichtskampf selber verteidigen), die Gestalt des verleumderischen Ritters, der gerichtliche Zweikampf, zu dem Reinfried wie Dietrich (stellvertretend für Engelhard) erst im letzten Augenblick erscheinen – das alles steht im Aufbau und in vielen Einzelheiten in deutlicher Beziehung zum Engelhard[38]), zeigt allerdings in der Minneauffassung stärkere Unmittelbarkeit, über die Einflüsse Konrads hinaus ein selbständiges Verständnis für Gottfrieds Welt[39]).

Ein Halbjahrhundert nach dem *Reinfried* hat der Straßburger Kunz Kistener[40]) den Stoff des *Engelhard* in seine Legende von den *Jakobsbrüdern* umgeformt. Die beiden Freunde treffen sich auf der Pilgerfahrt nach Compostella; die erste Freundesprobe besteht darin, daß der verarmte schwäbische Ritterssohn den Körper seines vornehmen jungen Gefährten, der unterwegs stirbt, zum Wallfahrtsort trägt. Hier tut der Hl. Jakob, der schon über die Geburt des Jünglings seine Hand gehalten hatte (auf seine Fürbitte war dem lange kinderlosen Ehepaar ein Sohn geschenkt worden), ein Wunder und erweckt ihn

---

[37]) Vgl. zuletzt H. de Boor, Geschichte der dt. Literatur 3/1, München 1962, 92ff.

[38]) Ausführlich nachgewiesen von P. Gereke, Beitr. 23, 1898, 379ff.

[39]) H. de Boor a.a.O. 93f.

[40]) Vgl. zuletzt H. de Boor a.a.O. 549f.

wieder zum Leben. Die Aussatzheilung ließ sich ohne Umgestaltung der Legende einfügen. Stilistisch gehören die *Jakobsbrüder* in ihrer knappen Erzählweise enger mit der spätmittelalterlichen Novellistik zusammen als mit Konrads Weitschweifigkeit und Redseligkeit (die z.B. im Reinfried noch gesteigert ist). Konradisch ist neben dem Stoff die sentimentale Haltung, der aber menschliche Wärme nicht fehlt. Die geistige wie die dargestellte Welt ist trotz adeligem Milieu die des Bürgertums[41]).

M. Haupts Urteil, daß der *Engelhard* „das beste von Konrads größeren Werken" sei und „daß Konrad in dieser Erzählung seinem Vorbilde Gottfried von Straßburg am

---

[41]) W. Stammler hat in der Dt. Phil. im Aufriß II (²1960), Sp. 1058 auf eine Prosaauflösung des *Engelhard* in der Hs. 16. 567 des Germ. Nationalmuseums Nürnberg hingewiesen. In Wirklichkeit handelt es sich jedoch um eine Prosaauflösung von Kunz Kisteners *Jakobsbrüdern* (f. 113ʳ–129ʳ, Überschrift *Vō grosser truw die zwen gůt gesellē an ein ander hieltē vn von eim grossen zeichē dz got v̄n dˢ lieb Sant Jacob an in toten*). Die Prosaversion kürzt das Gedicht, lehnt sich im übrigen aber eng, häufig wörtlich an die Vorlage an (die Autornennung ist jedoch weggelassen). Die Mundart ist niederalemannisch, die Hs. stammt aus dem 15. Jhd. – Eine weitere Prosafassung der Legende von den Jakobsbrüdern hat Fr. Pfeiffer in seinem Altdt. Übungsbuch (Wien 1866), S. 197–199 aus einer Hs. des 15. Jhds aus dem St. Magdalenenkloster zu Straßburg abgedruckt (zur Hs. vgl. Pfeiffer, Germ. 3, 1858, 408ff.). Diese Prosafassung weicht jedoch von Kisteners Gedicht so stark ab, daß an eine unmittelbare Abhängigkeit nicht gedacht werden kann. Hingegen stimmt es in manchen Zügen zu dem franz. Gedicht *Le dit des trois pommes* (14. Jhd.). Besonders bemerkenswert ist hier wie dort das Motiv von den drei Äpfeln, mit deren Hilfe die Verläßlichkeit des Gesellen geprüft wird. Es findet sich m.W. sonst nur noch im Engelhard (V. 336ff.). Fand es Konrad in seiner Vorlage, der es dann auch das frz. Gedicht entnommen haben könnte, oder ist es Konrads Eigentum? Zu den romanischen Versionen der Legende von den Jakobsbrüdern vgl. R. Köhler, Germ. 10, 1865, 447ff.

nächsten" komme[42]), gilt auch heute noch. Die Stärke Konrads liegt nach unserem heutigen Empfinden durchaus in seinen kleineren epischen Dichtungen, mag auch sein Ehrgeiz der großen Form gegolten haben. Im *Engelhard* bleibt der Hang zur Breite gezügelt, er überwuchert den Kern der Fabel nicht (Kunz Kistener kommt freilich in seinen *Jakobsbrüdern* mit weniger als einem Fünftel des Raumes aus); die für die Technik von Konrads Großepen kennzeichnenden Abschweifungen vom eigentlichen Thema fehlen im *Engelhard* mit der einen Ausnahme der Turnierschilderung, die für den Handlungsablauf überflüssig ist. Im *Engelhard* ist es Konrad gelungen, die Vorzüge seiner Kunst – Klarheit und Durchsichtigkeit des Ausdrucks, äußerste Formbeherrschung, Ernstnehmen der alten höfischen Wertskala[43]) – auf ein größeres Werk anzuwenden, ohne sie gleichzeitig durch allzu weitschweifige Breite, seine kühle, oft gefühlsarme und pedantische Nüchternheit zu überdecken.

*

Herrn Prof. Hugo Kuhn danke ich für Hilfe und Rat, der Handschriftenabteilung der Bayer. Staatsbibliothek, der Bibliothek des Germanischen Nationalmuseums in Nürnberg und der Herzog-August-Bibliothek in Wolfenbüttel dafür, daß sie die Handschriften, bzw. den alten Druck zur Verfügung gestellt haben.

---

[42]) Haupt, Ausgabe S. XII, XIII.

[43]) Hier ist freilich Vorsicht geboten. Gewiß nimmt Konrad die höfischen Werte ernst, und gewiß meint er das ehrlich. Aber doch haben sie sich auch ihm unter der Hand verändert, sind flacher, eindeutiger, bürgerlicher geworden.

BIBLIOGRAPHIE

Ausgaben:

Engelhard, eine Erzählung von Konrad von Würzburg, mit Anmerkungen hrsg. von Moriz Haupt, Leipzig 1844. 2. Aufl. besorgt von Eugen Joseph, Leipzig 1890 (die Besprechungen dieser beiden Ausgaben mit textkritischen Beiträgen s.u.).

Engelhard von Konrad von Würzburg, hrsg. von Paul Gereke (= Altdt. Textbibl. 17), Halle 1912 (besprochen von D. v. Kralik, Allg. Litbl. 22, 1913, 272; E. Schröder, AfdA 38, 1919, 171f.).

Textkritische Beiträge, gleichzeitig Siglenverzeichnis:

B	= K. Bartsch, Beiträge zur Quellenkunde der altdt. Litteratur, Straßburg 1886, 157ff.
Dr.	= Druck von 1573 (nur ausnahmsweise angegeben; die Lesart des Druckes steht ohne Sigle nach der eckigen Klammer).
f.	= fehlt
G	= P. Gereke in der 1. Aufl. dieser Ausgabe 1912.
H	= M. Haupt in seiner Ausgabe 1844.
J	= E. Joseph in der 2. Aufl. von Haupts Ausgabe 1890.
Koch.	= K. Kochendörfer, ZfdPh 24, 1892, 128ff. (Bespr. von Joseph).
L	= K. Lachmann (nach den Angaben in Haupts Anmerkungen).
Le	= A. Leitzmann, Zu Konrads Engelhard, Beitr. 63, 1939, 407–430.
Müller	= W. Müller, Gött. gel. Anz. 1, 1845, 550f. (Bespr. Haupts Ausgabe; die Besserungsvorschläge wieder abgedruckt bei Leitzmann a.a.O. 409f.).
R	= I. Reiffenstein.

Schr = E. Schröder, Studien zu Konrad von Würzburg II, Gött. Nachr. 1911, 20–33; ZfdA 43, 1899, 112.
Spr = R. Sprenger, ZfdA 36, 1892, 157ff.; ZfdPh 36, 1904, 472ff. (der letzte Beitrag von Gereke übersehen).
str. = streicht
Wa = W. Wackernagel, ZfdA 4, 1844, 555f.; Textprobe des Engelhard in seinem Altdt. Lesebuch [5]1873, 943ff.
Wo = G. A. Wolff, AfdA 19, 1893, 150ff. (Bespr. von Joseph).

Weitere textkritische Beiträge enthalten:

G. Wolff, AfdA 13, 1887, 238ff. (Bespr. von Josephs Ausg. der Klage der Kunst).
–, Ach und Weh, zu Konrads v. Würzburg Engelhard V. 5556–5565. In: Aufsätze zur Kultur- und Sprachgeschichte, Festschrift Ernst Kuhn, München 1916, 429ff.
J. Seemüller, Engelhard 2731f., ZfdA 37, 1893, 239f.
R. Sprenger, Zum Engelhard, ZfdPh 26, 1894, 281f. (zu V. 2730ff.).
P. Gereke, Textkritisches und Metrisches zu den Dichtungen Konrads von Würzburg. Beitr. 37, 1912, 213–244, 432–469; 38, 1913, 501–529.
E. Schröder, AfdA 38, 1919, 171f. (Bespr. von Gerekes Ausgabe; zu 2051ff.).
K. Helm, Zum Engelhard, Beitr. 47, 1923, 155ff. (zu 5914ff.).

Die allgemeine Literatur zu Konrad von Würzburg (u. a. zahlreiche Dissertationen) enthält meist auch Beiträge zum Engelhard. Vgl. die Zusammenstellungen bei G. Ehrismann, Geschichte der dt. Lit. bis zum Ausgang des Mittelalters II, Schlußband, München 1935, 35ff., bes. 48ff.; Verfasserlexikon II, Berlin 1936, 913ff. (E. Hartl), Literaturangaben bes. im Nachtrag V, 1955, 568 (H. Rosenfeld und K. Hannemann); H. de Boor, Die deutsche Literatur im späten Mittelalter I (= Newald – de Boor, Gesch. d. dt. Lit. 3/1), München 1962, 27ff., die Lit. 73ff. (dort noch nicht zitiert: H. J. Gernentz, Konrad v. W., Charakter und Bedeutung seiner Dichtung, in: Weim. Beitr. 7, 1961, 27–45).

Speziell zum *Engelhard*:

A. Walsch, Das ge-Präfix in verbalen Kompositionen in Konrads von Würzburg „Engelhard und Engeltrud“. Programm Mähr.-Schönberg 1911/12.

M. Kleinbruckner, Reimgebrauch Konrads von Würzburg im Engelhard. Programm Duppau 1916.
R. Raab, Reimwörterbuch zu Konrads von Würzburg Engelhard. Diss. (masch.) Wien 1955.
M.-L. Gräff, Studien zum Kunst- und Stilwandel des 13. Jhds. Gottfried von Straßburg, Tristan und Isolde. Rudolf von Ems, Willehalm. Konrad von Würzburg, Engelhard. Reinfried von Braunschweig. Diss. (masch.) Tübingen 1947.

Zur Sage von *Amicus und Amelius* und ihrem Weiterleben in der europäischen Literatur des Mittelalters (vgl. auch die bei Ehrismann a.a.O. 49 zit. ältere Lit.):

Amis and Amiloun, hrsg. von MacEdward Leach (= Early Engl. Text Society, Original Series 203), London 1937 (mit ausführlicher allgemeiner Einleitung ix–lxxxix).
J. A. Asher, Amis et Amiles (= Bulletin 39, Mod. Lang. Ser. 1), Auckland 1952.

**Wie zwey tauſent Ritter/ ſampt viel Her-
ren / Frauwen vnd Jungfrauwen/auff
dem Thurnier zuſammen
kommen.**

Holzschnitte aus dem Druck von 1573

Oben: Bl. 14^{r}, zwischen V. 448 und 449 (das gleiche Bild vor V. 1379)

Unten: Bl. 54^{r}, vor V. 2463

Wie Hertzog Dietherich kranck zu Engelhart dem Könige in Dennemarck kompt.

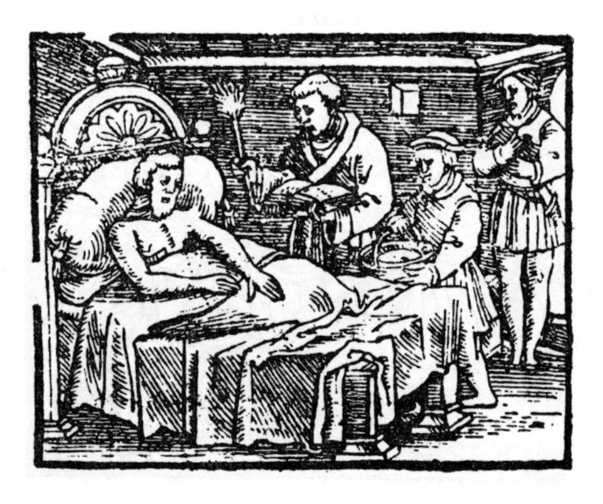

Oben: Bl. 115^{v}, vor V. 5623

Unten: Bl. 121^{v}, zwischen V. 5942 und 5943

TEXT

VORREDE.

[5r] EIn måre were gut gelesen /
Dz treuwe neuwe mochte wesen /
Die liechten Kleider leider blindt /
Durch falschen Orden worden sind /
5 Auß wunniglicher wette /
Die sie vor zeiten hette /
Gezogen ist die stette /
Durch falscher Leute rede /

Jr farbe grauwe seuberlich /
10 Von schwachen sachen trůbet sich /
Jr lob kam vbertrůben glast /
Sie wil auff Erden werden Gast /
Jr roselechten Wangen /
Mit bleiche sind befangen /
15 Wen sol nach jr verlangen /
Jr schône ist sehre zergangen /

Die Reichen weichen man jr sicht /
Jr gierde wůrde funden nicht /
Sie treit verborgen sorgen viel /
20 Niemand sie reine meinen wil /
Gar selten man sie růhmet /
Jr Name ist gar verthůmet /
Der beyweilen stund geblůmet /
Und schône was gesůhmet /

Die Strophen sind im Dr. nicht abgesetzt.

VORREDE.

Ein mære wære guot gelesen,
daz Triuwe niuwe möhte wesen.
ir liehten kleider leider blint
durch valschen orden worden sint.
5 ûz wünneclicher wæte,
die si vor zîten hæte,
gezogen ist diu stæte
durch valscher liute ræte.

ir varwe garwe siuberlich
10 von swachen sachen trüebet sich.
ir lop kan üeben trüeben glast:
si wil ûf erden werden gast.
ir rœselehten wangen
mit bleiche sint bevangen.
15 wen sol nâch ir belangen?
ir schœne ist gar zergangen.

die rîchen wîchen man ir siht,
ir wirde girde vindet niht.
si treit verborgen sorgen vil:
20 nieman si reinen meinen wil.
vil selten man si rüemet:
ir name ist gar vertüemet,
der wîlen stuont geblüemet
und schône was gesüemet.

3 ir liehten *H*] die liechten (der liehtiu *J*).
8 ræte *H*] rede.
9 garwe *H*] grauwe.
11 kan üeben trüeben *H*] kam vbertrůben.
15 nâch (noch *Wa*). belangen *Le*] verlangen.
16 gar *H*] sehre.
17 siht, *Wo* (siht: *H*).
18 ir wirde girde vindet niht. *G*] ir girde wůrde funden n. (ir g. wirde vindet [vinden *J*] niht: *H*).
20 reinen *H*] reine.
21 vil *Le*] gar.
23 wîlen *H*] beyweilen.

[5v] 25 Man solte wo̊lt man jr pflegen /
Jr starcke treuw wider wegen /
Sie kan wol finden schweren raht /
Der zu den Ehren kehren lat /
Treuw ist an tugenden feste /
30 Wie trůbe ir lob im glåste /
Sie wurd doch das beste /
Die Kunden vnd die Gåste /

Jr rede ståte machen Weib /
Jr lehre sehre Mannes Leib /
35 Zu waren dingen bringen wil /
An jr ich mercke stercke viel /
Ein Weib vnståte schauwet /
Die Treuwe an Hertzen drauwet /
Ein Mann dem falschen empfleuhet /
40 Der Treuwe an sich zeuhet /

Jr hute gute burgen mag /
Besorgen morgen vnde tag /
Jr Hand auff Erden wehrden Mann /
Beschliessen seine Schreine kan /
45 Wer wil in Treuwen alten /
Der kan der Burge walten /
Man leßt jr hort behalten /
In Kisten manigfalten /

Kein Hertz schmertz trauwren biert /
50 Wo treuwe neuwe gerne wirt /

25 man solte, wolte man ir pflegen,
ir stiure tiure widerwegen.
si kan wol vinden swinden rât
der zuo den êren kêren lât.
Triuw ist an tugenden veste.
30 swie truobe ir lop nû gleste,
si weret doch daz beste
die kunden und die geste.

ir ræte stæte machent wîp,
ir lêre sêre mannes lîp
35 ze wâren dingen bringen wil.
an ir ich merke sterke vil.
ein wîp unstæte schiuhet
diu triuwe inz herze diuhet,
ein man dem valsche enpfliuhet
40 der triuwe an sich dâ ziuhet.

ir huote guote bürge mac
besorgen morgen unde tac.
ir hant ûf erden werden man
besliezen sîne schrîne kan.
45 swer wil in triuwen alten,
der kan der bürge walten:
man lât in hort behalten
in kisten manicvalten.

kein herze- smerze trûren birt
50 swâ Triuwe niuwe gerne wirt,

26 stiure tiure *G*] starke treuw (starke marke *H*).
27 swinden *H*] schweren.
30 nû *H*] im.
31 weret *Le nach B*] wurd (lêret *HG*, wîset *J nach B*).
33 ræte *H*] rede.
34 (manne *Le*).
37 schiuhet *H*] schauwet.
38 inz *G*] an (en *H*). herze diuhet *H*] Hertzen drauwet.
39 valsche *H*] falschen.
40 dâ *G*] *f.* ziuhet *H*] zeuhet (geziuhet *J nach B*).
41 bürge *H*] burgen.
42 unde tac *H* (unde ie tac *J*).
47 in *H*] jr.

Wann sie mit sůßen treuwen geit /
Der Lieb diebe liebe manch zeit /
Von treuwe leid verschwindet /
Vnd alle sorge erwindet /
[6r] 55 Wer Treuwe on Liebe findet /
Zu freuden sich der bindet /

Jr gute Blute als ein Dorn /
Jr kluge fuge Freunde zorn /
Kan wol scheiden leide sinn /
60 Thut sie besunder vnder jn /
Wo Feindschafft mit gedrange /
Thut zweyen Gelieben bange /
Ist da der Treuwen Zange /
Jr Zorn wehrt vnlange /

65 Jr klare ware Lehr ist gut /
Wann man sie führt mir rechtem muht /
Wann sie noch Ehren mehren wil /
Ohne Sipschafft kreffte viel /
Gott selten einem verbůnne /
70 Der Treuwen leides gůnne /
Wann Treuwe ist wunder kůne /
Ein freude werende wunne /

Jr Augen Tugentheit nach sehent /
Minniglich reich ding sie spehent /
75 Man darff jr wunder sonder wohn /
Sie muß an ståte Rede gohn /
Wie kleide man sie drude /
Man leßt jedoch zu todte /
Minnigliche ding noch heute /
80 Verstahn getreuwe freude /

wan si mit süezen grüezen gît
der minne diebe liebe zît.
von triuwe leit verswindet
und alliu sorge erwindet:
55 swer triuwe an liebe vindet,
ze freuden sich der bindet.

ir güete blüete sam ein dorn.
ir kluoge fuoge friunde zorn
kan wol gescheiden: leiden sin
60 tuot si besunder under in.
swâ vîntschaft mit gedrange
tuot zwein gelieben ange,
ist dâ der Triuwen zange,
ir zorn der wert unlange.

65 ir klâriu wâriu lêre ist guot.
si ruoret vuoret rehten muot,
wan si nâch êren mêren wil
an sippeschefte krefte vil.
got sælden im erbünne
70 der Triuwen leides günne,

51 grüezen *H*] treuwen.
52 der minne diebe liebe zît *H*] der Lieb diebe liebe manch zeit.
55 an *H*] on. liebe (minne *G*).
57 ir güete blüete sam ein dorn *G*] ir gute Blute als ein Dorn (ir g. bl. wilder dorn *H nach L*, velsen dorn *J*).
59 gescheiden: leiden sin *H*] scheiden leide sinn.
62 ange *H*] bange.
64 der *H*] *f*.
65 klâriu wâriu *G*] klare ware (*H*).
66 si ruoret vuoret rehten muot *Le*] Wann man sie fůhrt mit rechtem muht (si stiuret tiuret rehten muot *W. Grimm,* ir stiure tiure vehten tuot *H,* ir vrâge mâge rîchet muot *schlägt J vor,* si zieret wieret mannes muot *G*).
67 nâch *H*] noch.
68 an *H*] ohne.
69 sælden im *H*] selten einem. erbünne *Le*] verbůnne.

wan Triuwe ist under künne
ein freudeberndiu wünne.

ir ougen tougen nâhe sehent,
heinlîchiu rîchiu dinc si spehent.
75 man darf ir wunder sunder wân,
swer muoz an stæte ræte gân.
swie kleine man si triute,
man lât iedoch ze diute
heinlîchiu dinc noch hiute
80 verstân getriuwe liute.

si wîsen prîsen ich hie sol.
mit henden swenden kan si wol
vil witzeclîche rîche wât:
si tuot den armen warmen rât.
85 wol ir vil süezen listen!
si ziuhet ûz der kisten
dâ mite si kan vristen
die armen ebenkristen.

Sît Triuwe nû diz allez kan
90 und ir bedarf sô manic man,
wie mac ir lêre danne
sô rehte manegem manne
geleiden ûf der erden?
den rîchen und den werden
95 den solte si wol lieben

71 under künne *H*] wunder kûne.
72 freudeberndiu *H*] freude werende.
73 tougen nâhe *H*] Tugentheit nach.
74 heinlîchiu rîchiu *H*] minniglich reich.
76 swer *J*] sie (si *H*). ræte *H*] rede.
77 swie kleine *H*] wie kleide. (*Le stellt* 77 *nach* 80).
78 ze diute *H*] zu todte.
79 heinlîchiu *H*] minnigliche.
80 liute *H*] freude.
82 swenden *H*] wenden.
83 vil witzeclîche rîche wât *H*] auch viel wissentliche That.
95 den *G*] *f*.

und niht wan argen dieben
von schulden widerzæme sîn.
ir liehter wünneclicher schîn
die hôhen solte erliuhten
100 und mit ir süeze erviuhten
ir herze an êren dürre,
wan ez in vaste würre,
ob man niht triuwe hæte noch.
die rîchen die bedürfen doch
105 triuwen baz dan iemen.
ob triuwe pflæge niemen,
sô würde kranc der rîchen habe.
man züge in unde bræche in abe
ir guot und al ir êre.
110 des solte ir herze sêre
in lûterlichen triuwen sweben,
durch daz si bilde künden geben
ûf alsô triuwebæren sin
daz niemen triuwe bræche an in
115 und inneclîche wârheit.
owê daz triuwe ist worden leit
und man ir doch sô wol bedarf!
der si zem êrsten ie verwarf,
der müeze unsælic werden.
120 man hât ir ûf der erden
haz umb anders niht getragen
wan daz si guotes nie bejagen

97 widerzæme *H*] wider reine.
99 solte *H*] sollen.
100 mit (solte *H*).
101 in herze an êren dürre *H*] ir Herre an Ehren traure.
102 in vaste würre *H*] jm fast ware.
105 triuwen *Koch.*] Trauwen (triuwe *H*).
107 der rîchen *H*] die reiche.
110 solte *H*] sollent.
112 künden *H*] kundte.
113 triuwebæren *Schr*] treuwelichen.
117 sô *H*] *f.*
120 ir (im *H.*)
121 haz *G*] Das. getragen *G*] betragen (vertragen *H*).
122 gutes nie *J*] guts je (guotes niht *H.*)

mohte alsam untriuwe tuot.
hæte si gewunnen guot,
125 ir wære deste baz gegert.
swaz guot gewinnet, daz ist wert.
dâ von der valsch nû brichet für
und wirt gedrungen ûz der tür
frou Triuwe an manegen enden.
130 bî der liute wenden
wirbet si genôte
nâch dem wibelbrôte
und stât vil hungermælec.
si dunket unliutsælec
135 beide frouwen unde man.
herberge si gewinnen kan
niender an den gazzen.
man wil si leider hazzen
und treit ir lützel iemen gunst.
140 het ich nû sô getâne kunst
daz ich nâch mîner girde
erhœhen möhte ir wirde,
des wolte ich gerne vlîzic sîn.
künd ich ir lobes trüeben schîn
145 ze liehte wider bringen,
dar nâch sô wolte ich ringen
alsam ein triuwe gernder man.
und ob ich niht erwerben kan
daz man ir welle ruochen,
150 sô wil ich doch versuochen

123 alsam *B*] als (*H*, als nû *J*).
124 (lêrte si gewinnen g. *Le*).
125 gegert *Le*] beg.
127 valsch *H*] falsche.
128 wirt *H*] wurd.
129 frou Triuwe *H*] frauwen tr.
132 wibelbrôte *H*] bibelbrote.
133 stât *G*] stêt *H* (*und so immer, ebenso wie* gât, stân, gân *usw.*).
134 dunket *J* (dünket *H*).
136 herberge *H*] mir burge.
137 niender *H*] nimmer.
141 girde *H*] begirde.
146 sô *H*] *f*.
147 alsam *G*] als.
149 welle *H*] wille.

mîn heil an dirre stunde.
mit herzen und mit munde
wil ich von hôhen triuwen
ein wârez mære erniuwen
155 ellîche hie ze diute
darumbe daz die liute
ein sælic bilde kiesen dran,
daz si triuwe noch erman
unde in ganze wârheit gebe:
160 ob ieman noch getriuwer lebe,
daz er sich dâ von sterke,
ein valschgemuoter merke
und kenne sîne unstæten art,
sô daz er ûf die rehten vart
165 der ganzen triuwen kêre sich.
wan ez ist wâr und endelich
daz der triuwebære
von triuwe rîchem mære
an sînen triuwen stæte wirt,
170 und daz der valschgemuote enbirt
untriuwen lîhte gar dâ bî,
durch daz er dâ zerkennen sî.

153 hôhen *H*] hôher (*Koch*).
154 wârez *H*] ware.
155 ellîche *H*] eteliche (etelîchen *G*).
157 sælic *H*] solch.
159 in ganze *H*] an gantzer.
160 noch getriuwer *J nach B* (*vorher schon Müller*)] nach gtreuwen (nâch triuwen *H*).
161 daz er sich dâ von sterke *Le*] d. er dauon gestercket (daz ez in dar an sterke *H*).
162 ein valschgemuoter merke *Le*] Vnd ein falscher muht mercket (und [daz *G*] ein valscher merke *H*).
163 und kenne sîne *H*] Ir keme seiner (unde erkenne sîne *G*).
169 sînen triuwen *G*] seiner Treuwen (sîner triuwe *H*, sîner triuwen *Koch.*). (stæter *Le*).
170 daz *G*] *f.* der valschgemuote enbirt *H*] der falschen muht embiert.
171 untriuwen *H*] vnd ruwen.
172 durch daz *G*] auff daß (sît daz *H*).

Swer aber valscheit ist gewon,
dem tuot untriuwe vil gedon,
175 und mac si lâzen kûme.
ich wæne daz ich sûme
mich selben an den dingen.
daz ich künne bringen
den valschen ûzer sînem site,
180 zwâr ich bewære ez niht hie mite
daz ich von hôhen triuwen sage.
wan der ungetriuwe zage
ungerne dâ belîbet
dâ man vil gerne trîbet
185 von triuwen guoter mære vil.
dâ von sô muoz ich unde wil
komen ûz der zuoversiht
daz ein triuwelôser wiht
von disem mære ûf triuwe kome.
190 ich wil daz den getriuwen frome
dis âventiure aleine,
sô daz ir triuwe reine
dâ von gesterket werden.
swer nû wil ûf erden

174 dem tuot untriuwe vil gedon *H*] dem wirt mit untrew selbst gelohnt.
176 ich *H*] icht.
177 selben *H*] selber. (*Schr liest den vers* mich selbe an dem gedingen.)
179 ûzer sîme site *H*] auß zu seinen sitten. site, *H* (site. *J*).
180 zwâr ich bewær ez *G*] zw. ich bewer (zewâre ich wæne es *H nach L*, zewâre ich wer es *J*).
181 hôhen triuwen *G*] hoher Treuwen (hôher triuwe *H*, hôher triuwen *Koch*).
182f. wan der ungetriuwe zage ungerne *H*] w. d. ung. z., Vnd weiß nicht wo hinauß, Vnd kômmet jn an ein grauß, Vnd ung. (wan d. ungetr. z. enweiz niht rehte wâ hin ûz und envrumt im niht ein grûz, ungerne er *Müller*)
184 vil *G*] gar (*str. H*).
188 triuwelôser *H*] treuwlosen.
189 disem – kome *H*] dieser – kommen.
190 den getr. frome *H*] dem g. frommen.
194 (ûf der e. *G*).

195 vernemen ganzer triuwen hort,
der ruoche hœren disiu wort
und neige herze und ôren her.
ich bin des offenlichen wer
daz er gehœret nimmer mê
200 kein mære dâ von er bestê
ze triuwen alsô girhaft.
ob er durch edele bîschaft
an triuwen stæte wil bestân,
sô wirt im von mir ûf getân
205 ein âventiure wilde
dran er vil sælic bilde
ze triuwen schiere funden hât.
von Wirzeburc ich Kuonrât
hân si ze sælden für geleit
210 den liuten von der kristenheit
in tiuscher worte schîne.
ich hân si von latîne
in rîme alsô gerihtet
und ûf den wân getihtet
215 daz sich nâch mînes herzen ger
dâ bî gebezzer etewer.
Wîlen dô diu triuwe
den liuten was sô niuwe

196f. der ruoche hoeren disiu wort und neige *H*] Der gedencke zu h. d. wort, Die ich erzehlen wil mit fleiß, So wirt er der Treuwen preiß, Darzuo jr thun vnd jr wesen, Dauon ich offt hab gelesen. In Bůchern aller Weißheit voll, Die man billich lesen sol, Vnd neige.
198 offenlichen wer *H*] hőflichen beger.
199 nimmer mê *H*] von mir mehe (niender mê *Le*).
200 kein mære dâ von er bestê *H*] reine m. da er bestehe.
202 bîschaft *H*] Bildschafft.
204 im *H*] eine.
205 ein *H*] dein.
206 sælic *H*] sollich.
209 hân si ze sælden für g. *H*] man sey zu glůcken vor g.
210 von *H*] vnd.
213 in rîme *H*] zu Reimen.
217 wîlen dô *H*] dieweile da was.
218 was sô *H*] noch also.

daz man ir stæteclichen pflac
220 und man ir wirde hôhe wac,
dô lebte in Burgundrîche
vil getriuweclîche
ein herre von gebürte frî.
dem wonte zuht und êre bî,
225 milt unde ganzíu stæte.
ein schœnez wîp er hæte
an herzen und an lîbe.
bî dem selben wîbe
het er gezogen zehen süne
230 die vil hôher êren büne
het überdaht mit flîze.
vor allem itewîze
wâren si gefrîet.
got hæte ûf si gezwîet
235 hôher sælde ein wunder.
doch kunde ir einer drunder
liuhten für si alle,
rehte als ein kristalle
ûz kiselingen schînet.
240 sus hæte er sich gepînet
ûf tugent für die bruoder sîn,
und gap sîn lop sô liehten schîn
daz alle die des jâhen
die sîn antlitze sâhen
245 daz niender ûf der erden
geschouwet möhte werden
der ginge ein rîcher jungelinc.

220 wac *H*] jach.
221 dô lebete *H*] da lobete.
222 (vil gar getr. *G*).
229 gezogen *H*] gezeugt.
230 die vil hôher *G*] der viel der (die vil gar der *H*).
232 vor *G*] mit (von *H*). allem itewîze *H*] aller jrer weise.
234 gezwîet *H*] geweihet.
235 sælde *H*] seligkeit.
238 (reht alsam ein *G*).
240 sus *H*] sonst. gepînet *H*] gebeinet.
241 für *H*] vor.
245 niender *H*] wunder.
246 möhte *H*] mochten.
247 der ginge ein rîcher *R*] Da gieng ein reicher (ein tugende rîcher *H*, ein ginge rîcher *J*, dô sîn gelîch ein *G*).

ûf alliu sæleclîchiu dinc
stuont sînes herzen girde.
250 sîn muot nâch hôher wirde
kunde ringen unde streben.
sîn junger lîp, sîn werdez leben
was niender wandelmælec.
sô rehte gar liutsælec
255 was sîn tugentrîcher lîp
daz vil manic edel wîp
nâch sîner minne was versent.
er hæte ûf triuwe sich gewent
nâch sîner väterlichen art.
260 er was geheizen Engelhart
und hæte gar an sich genomen
swâ mite ein man ze lebe komen
in dirre wilden werlde sol.
er was gar aller sælde vol,
265 wan daz im brast an guote,
daz edeles herzen muote
bieten muoz geleite
ze hôher werdekeite.
Wan zwâre, als ich erkennen kan,
270 sô mac vil kûme ein edel man
wert gesîn in kranker habe.
an hôher wirde gât im abe,
swenn er geldes niht enhât.
als ez nû in der werlde stât,
275 sô darf ein man wol guotes
der edeles herzen muotes
wil pflegen unde spulgen.
daz silber in den bulgen
dringet für die hôhen tugent.

257 minne *H*] Liebe.
263 in dirre wilden werlde *H*] in dieser wirden werden.
264 aller sælde *H*] alles glůckes.
266 daz edeles] deß Edelen.
267 bieten *H*] beyde.
270 kûme *H*] kůn.
271 gesîn *H*] seyn.
273 (er des g. *G*). geldes – enhât *H*] goldes – enthat.
275 darf *H*] bedarff.
279 dringet *H*] tringent.

280 daz kunde wol in sîner jugent
gedenken Engelhartes lîp.
sîn muoter, daz vil reine wîp,
und ouch sîn vater wol gemuot,
die hæten vil gefüegez guot
285 und wâren kinde rîche.
dar umbe er tougenlîche
alsô gedâhte wider sich.
'sich, got herre, wie sol ich
gedienen werder liute gruoz?
290 ich wæne, an mir verderben muoz
ritters name und ouch sîn amt.
ich fürhte, ich müeze ir beider samt
ledic unde blôz gestân,
swenn ich des geldes niht mac hân
295 dâ mite ich mir gewinnen müge
lop daz mînen êren tüge
die von geburt mich erbent an.
wan swaz mîn vater geldes kan
geleisten und diu muoter mîn,
300 des dürfens unde ir kindelîn
âne mich ze rehter nôt.
wan zwâre, ich wolte ê ligen tôt

281 (bedenken *H*).
283 wol gemuot *H*] viel gefugt.
284 gefüegez *H*] gefůgtes.
286 tougenlîche *H*] tugentleiche.
287 gedâhte wider *H*] g. er wider.
288 sich, got herre, wie *G*] s. herre got wie (s. h. g. nû wie *H*).
289 gedienen *Le*] Verdienen.
290 wæne *H*] dencke.
292 müeze *G*] müsse (muoz *H*).
293 unde blôz *G*] vnd solches (unde frî *H*).
294 geldes *H*] Goldes.
295 mir *G*] *f.* (*Schr* wol).
296 lop (*Schr* ein lop).
297 die – erbent *H*] das – erbet.
298 wan swaz *G*] wann (swaz *H*).
300 des dürfens unde *H*] das dürffen sie vnd (des dürfens umbe *J nach Wa*).
301 ze rehter *H*] zu der rechten.
302 wan zwâre *G*] vnd zwar (zewâre *H*). (*G str.* ê).

ê dan daz ich in næme daz.
ich muoz begân sus etewaz:
305 daz wil ich niht langer sparn.
ich sol ze fremden landen varn
biz daz ich den ersuoche
der mîn ze knehte ruoche.
Ich hœre loben starke
310 aldâ von Tenemarke
den milten künic Fruoten.
zuo dem hôchgemuoten
wil ich albalde kêren.
ich getriuwe sînen êren
315 daz er mich vazze schône
und er mir noch ze lône
vil rîchiu swertlêhen gebe.
daz ist vil bezzer denne ich lebe
alsô verdorbenlîche.'
320 sus gienc der tugentrîche
zehant für sînen werden vater.
urloubes in mit zühten bater
und seite im sînen willen dâ,
daz er wolde kêren sâ
325 durch dienest in ein fremdez lant.
dô der herre daz bevant,
dô wolte er den vil süezen knaben

303 (*H str.* dan).
304 begân sus H] anders begehn.
306 ze fremden landen *H*] in frembde Land.
307 den *H*] das nun.
308 ze knehte ruoche *H*] zu eim kn. brauche.
309 hœre *H*] hǒren (hœre in *Le*).
311 Fruoten *H*] Fluten.
312 hôchgemuoten *H*] Kǒnig gemůhten.
313 albalde *J*] also balde (balde *H*).
314 getriuwe *G*] getrauwe (triuwe *H*).
315 vazze *H*] lasse.
317 vil rîchiu *G*] reichen viel (rîchiu *H*).
320 sus gienc *H*] so es gnug.
322 in mit zühten *H*] mit z. jn.
323 dâ *H*] do.
324 sâ *H*] so.
326 dô der herre daz bevant *Le*] Vnd da der Herre da erkannt (u. dô der hæte daz erkant *H*).
327 dô *H*] *f*.

der verte gerne erwendet haben.
daz half in aber kleine,
330 wan Engelhart der reine
niht hie belîben wolte.
swaz er gehaben solte
bî dirre zît ûf sîne vart,
vil schiere im daz gewunnen wart
335 gar nâch sînes herzen kür.
ouch truoc sîn vater im her für
wünneclicher epfel drî.
'lieber sun', sprach er, 'dâ bî
solt dû die versuochen
340 die dîn her nâch geruochen
ûf der strâze wellen
vil lîhte zeime gesellen.
ich sage dir rehte wie dû tuo.
swenn iemen dir gerîte zuo
345 der dich gesellescheftе bite,
den versuoche alsô dâ mite.
gip im der epfel einen dar.
izzet er in in sich gar
unde engît dir niht dar abe,
350 sô mît, vil herzelieber knabe,
alle sîne geselleschaft.
ist aber er sô tugenthaft
daz er durch sîner sêle heil
des apfels gebe dir ein teil,
355 sô lâz in mit dir rîten
und won im zallen zîten
vil gesellechlichen bî.

328 der verte gerne erwendet *H*] die Fahrt g. gewannt.
330 daz *H*] dann.
331 hie *Le*] *f*.
332 gehaben *G*] haben.
333 dirre *G*] der.
334 schiere *H*] schwer.
335 (gar wol n. *G*, vil gar n. *Le*).
343 tuo *H*] *f*.
345 swenn iemen dir gerîte *H*] wann dir jemand geriehte.
348 izzet er in in sich *H* *nach L*] i. er einen on dich.
349 engît *G*] gîbt.
354 gebe dir *H*] dir geb.
356 won im *H*] wohnen.
357 (vil gar g. *G*).

sus gip dis epfel alle drî
nâch mîner hôhen lêre site.
360 ob dû versuochest drî dâ mite
und si die ezzent âne dich,
so gedenke, lieber sun, an mich
und wis gar âne gesellekeit.
und hâst dû die bescheidenheit
365 daz dû behaltest mîn gebot,
ez birt dir hulde, sam mir got,
und bringet dir noch sælden vil.
dar under ich dich biten wil
daz dû getriuwe gerne sîst.
370 hie mite dû dir selben gîst
vil maneger hande werdekeit.
triuw ist daz beste êren kleit
daz den friunde lôsen man
in dem ellende kan
375 erfröuwen und erhœhen wol.'
'vater' sprach er, 'ich ensol
niht zebrechen dînen rât.
der alliu dinc beslozzen hât
gewalteclîche in sîner hant,
380 der tuo dir sælden vil bekant
und der vil reinen muoter mîn.
ez sol mit urloube sîn
daz ich kêre ûf mîne vart.'

358 sus *H*] sonst.
362 sô gedenke (sô denke *H*).
366 ez birt dir hulde *J*] er wird dir holt (ez wird dir guot *H*). sam mir got *H*] als helff mir Gott.
367 sælden *H*] glückes.
368 ich *H*] er.
370 selben *H*] selber.
372 triuw ist daz beste êren kleit (*J schlägt in Anm. vor* triuw ist des besten êren kleit).
373 friunde lôsen *Le*] frômbden lose (friuntlôsen *H*).
376 ensol *H*] nicht sol.
377 niht zebrechen dînen rât *H*] zu brechen Vatter d. r.
380 der tuo dir sælden *H*] darzu dir glückes.
382 mit urloube *H*] mit euwerm u.
383 (ich hin k. *G*).

hie mite saz ûf Engelhart
385 und îlte sîne strâze
und nam der wege mâze
hin gegen Tenemarke.
in gotes huote starke
wart sîn tugentrîchez leben
390 tiure und inneclîche gegeben.
Und dô er alsô für sich reit
ûf einer langen strâze breit,
dô kam ein jungelinc dort her:
den sældebæren gruozt er
395 in süezer stimme dône.
des neic er im ze lône
und frâgte in ouch der mære
war nû sîn wille wære.
Dô seite im Engelhart zehant
400 daz er wolte in fremdiu lant,
im dienest suochen etewar.
'daz selbe ist ouch mîn wille gar'
sprach z'ime der ander jungelinc.
'mîn muot und aller mîn gerinc
405 durch dienest zeinem herren stât.
sît ez nû got gefüeget hât
daz wir zesamene komen sîn,

385 îlte sîne *H*] eylte dahin s.
386 wege mâze *H*] weg eben masse.
387 hin gegen *H*] hineyn gen (engegen *Le*).
388 starke *H*] so st.
390 tiure und inneclîche (*Le*, emzeclîche *seit H*) gegeben *H*] dûrr vnd emecklichen geben.
392 breit *H*] weit.
393f. dort her: den sældebæren gruozt er *R*] dort her Geritten/ denselben gr. er (*H-G*, *versch. Besserungsvorschl. b. Schr*).
395 in süezer stimme *H*] in so s. Stimmen.
398 war nû sîn wille wære *G*] wohin s. w. nun w. (war s. w. wære *H*).
401 dienest suochen *J nach B*] dienst zu s. (*H*).
403 z'ime *G*] sich (*f. H*, sâ *J*).
404 mîn muot uud aller mîn gerinc *H*] sinn, muht vnd all m. begiring.
407 zesamene *J nach B* (*H immer* zesamen).

sô werdet der geselle mîn,
junkherre vil getriuwer:
410 alsô wird ich der iuwer.'
Der rede bôt im antwurt
der kneht vil edel von geburt
der dâ was Engelhart genant.
'junkherre' sprach er sâ zehant,
415 würde iu mîn gesellekeit
ûf dirre strâze nû verseit,
daz wære ein grôzer ungelimpf.
geret ir des âne schimpf,
sô sît mir gote willekomen.'
420 dô wart von im her für genomen
zehant der epfel einer.
'trûtgeselle reiner'
sprach er, 'nemet dise fruht
und ezzet die durch iuwer zuht.
425 si dunket mich vil edel gar.'
alsus nam er den apfel dar
und az in bî der selben stunt
gar unde ganz in sînen munt
und gap sîn Engelharte niht.
430 dar umbe dûhte er in enwiht
und alliu sîn gesellekeit.
er schiet sich von im unde reit
anders hin ûf sînen pfat.
dar nâch in aber einer bat

409 junkherre *H*] juncker gut vnd.
413 was Engelhart *H*] E. was.
414 sâ *H*] *f.*
418 geret *Le*] Begert.
419 mir *H*] mir es.
420 dô wart von im her für genommen *G*] so wards von jnen angenommen (dô wart sâ von im gen. *H*).
421 zehant *G*] zuhand (ze handen *H*, enhant *J nach B*). der epfel einer *J nach B*] mehr der Epffel einer (jener epfel ein *H*).
422 trûtgeselle reiner *J*] drawt Geselle also reine (trûtg. sunder mein *H*).
426 alsus *G*] sonst (sus *H*).
430 dûhte er in enwiht *H*] dacht er jn gar entwicht.
432 sich *H*] *f.*
433 ûf *G*] *f.* (den *H*).

435 gesellekeit ûf einer wisen.
den versuochte er alse disen,
biz daz er sîner zuht vergaz
und ouch der epfel einen az
alsô daz er im niht enbôt.
440 von deme schiet er sich durch nôt.
als er gescheiden was hindane,
er sprach ‘mîn herze ich wol gemane,
daz ich behalte stæte
mîns lieben vater ræte.’
445 Sus reit er niht ze verre.
gein im ein junckherre
kam geriten aldort her.
der was gestalt reht alsam er
an lîbe und an gebâre.
450 si wâren beide zwâre
vil gar gelîch ein ander,
wan eine forme vander
an in beiden, swer si sach.
got, aller sælden überdach,
455 der hæte an in gewundert.
si wâren ungesundert
an allen dingen beide.
kein ander underscheide
an ir bilden wart erkant,

436 alse *H*] als.
437 sîner *H*] seine.
440 durch *H*] mit.
441 hindane *G*] hinne (von ime *HLe*, von deme *J*).
442 mîn herze ich wol gemane *G*] mein Herr ich wil gezieme (mîn herze ich wol gestime *HLe*, m. h. i. w. gezeme *J*; von dane: wol gemane *H ZfdA* 4, *555*).
443 ich *J* (ez *H*).
444 ræte *H*] Rede.
445 sus reit *H*] so reihtet.
446 gein *G*] gegen.
447 aldort *H*] als dort.
448 gestalt reht alsam er *J nach B*] gestaltet r. als er (gestalt reht ouch als er *H*, gestellet reht als er *G nach Wo*).
451 vil gar gelîche *G*] sehr gleich (sêre gelîch *H*, gelîche sêre *J*, gar gelîch *oder* vil anelich *Schr*). ein ander *H*] einer dem andern.
452 wan *H*] vnd.
453 in *H*] *f.* (disen *J*).
454 aller sælden überdach *H*] alles glůcks vber tag.

460 wan daz ir pfert und ir gewant
ein ander wâren ungelîch.
ouch was ir leben tugentrîch
an der geschepfede ein und ein.
ouch flôz ein sprâche von in zwein
465 und was ouch ein gebærde an in.
gelîche stuont ir beider sin
ûf tugent unde ûf êre.
in was diu schande sêre
entfremdet unde entwildet.
470 sô anelîche gebildet
wâren diu vil werden kint
als dâ zwei wahs gedrücket sint
in ein vil schœnez ingesigel.
si wâren triuwen gar ein rigel,
475 ein vestez sloz der stæte.
ir jungez leben hæte
mit nihte sich verbœset.
geblüemet und gerœset
wâren si mit sælden gar.
480 daz si gelîch und eingevar
an allen liden wâren,
dâ mohten bî den klâren
die liute wunder kiesen an.
doch siht man dicke zwêne man
485 noch ein ander vil gelîch

460 wan *H*] dann.
461 ein ander *H*] an einander.
464 ein *H*] jr.
468 sêre *H*] vnmåre.
469 entfremdet *H*] informieret (entformet *Le*).
470 sô anelîche *H*] so gar ehnelich.
471 wâren *H*] warende.
472 als dâ zwei wahs gedrücket *H*] also da zwey außgetrucket.
474 triuwen gar ein rigel *H*] in treuwen ein R.
475 ein *H*] vnd ein.
476 ir *H*] vnd jr.
477 nihte sich *H*] nichten nicht.
478 geblüemet *H*] gantz gebl.
479 sælden *H*] Scheitelen.
481 liden *H*] Gliederen.
482 dâ mohten *H*] deß m. sie.

und einer hande forme rîch.
Daz aber dise beide
ûf einer wilden heide
zesamene kâmen von geschiht,
490 des wolte got entberen niht,
der an in wunderte ouch dar nâch.
in beiden wart zesamene gâch,
daz si sich undersâhen.
ir gruoz und ir enpfâhen
495 wurden harte schœne.
'der alliu herzen krœne
mit vil tugentlicher art,
der grüeze dich' sprach Engelhart,
'vil ûz erwelter jungelinc.'
500 'got, aller sælden ursprinc,
der lône dir, vil reiner kneht'
sprach der ander. 'ez ist reht
daz er dir gebe rîchen danc.'
dar nâch sô was vil harte unlanc
505 ê daz die schandelôsen
mit ein ander kôsen
begunden harte suoze.
mit hovelicher muoze
zem andern seite dirre
510 daz er eins herren irre
füere zuo den zîten
und daz er wolte rîten
eteswâ durch dienest hin.
'daz selbe ist ouch mîns herzen sin'

490 des *H*] das.
491 wunderte ouch *H*] wunder sah.
493 undersâhen *H*] vnder einander s.
495 harte schœne *H*] h. vnd gar schone.
496 alliu herzen krœne *H*] aller H. eine Krone.
500 sælden *H*] glůcklicher.
506 kôsen *H*] reden vnd kosen.
507 begunden harte suoze *H*] begvndte h. vnd s.
509 zem andern seite dirre *J*] beyde zusammen důrre (sprach zem andern dirre *H*).
513 dienest *H*] Dienste.

515 sprach jener dô ze diseme.
mit würze und ouch mit biseme
erfüllet was sîn biutel.
dar ûz nam er ein kriutel
und gap ez Engelharte.
520 'trûtgeselle, warte'
sprach er, 'wie diu würze sî.
sît uns gelîcher wille bî
wont und eines herzen sin,
sô lâz mich varen mit dir hin
525 dar dû kêren wellest nû.
vil bezzer ist daz ich und dû
mit ein ander strîchen
dan ob wir sunderlîchen
ein iegelicher füeren.
530 ob wir zein ander swüeren
gesellesechaft, wem würre daz?
uns beiden wære deste baz.'
'Sam mir got' sprach Engelhart,
'juncherre von sus hôher art,
535 geruochest dû des danne,
sô wil ich keinem manne
gesellesechaft sô gerne geben.
mich dunket dîn vil reinez leben
in der sælekeite wol
540 daz ich dir gerne leisten sol

515 jener *H*] einer.
516 würze *H*] Wůrtzen.
518 kriutel *H*] Ceutel.
520 warte *H*] nun w.
522 uns *H*] vnser.
523 und *H*] in.
525 dar *H*] wohin.
529 ein iegelicher füeren *G*] iegklicher allein fahren (*H* *ohne* ein).
530 swüeren *H*] schweren.
531 wem *Le*] was. würre *H*] wůrde.
533 sam mir got *H*] so helff mir G.
534 von sus *Le*] sůß von (süeze und *H*, rîch von *JG*).
535 des *H*] dich.
537 f. gesellesechaft ... mich dunket *H*] G. da so geben gerne, Sein Schafft vnd ouch sein Sper, Gab man jme allda eben, Mich d.
539 in der sælekeite *H*] in der geselligkeite.

brüederlîche triuwe gar.
vil harte gerne ich mit dir var
die wîle daz ich mac geleben.
zerkennen hâst dû dich gegeben.
545 dâ mite versuoche nû diz obez.
dunket ez dich guot, sô lob ez
oder aber schilt ez, ob dû wilt.
mîn herze in hôhen freuden spilt
von dîner zuokünfte gar.'
550 sus bôt er im den apfel dar
den er dannoch hæte.
den nam der knabe stæte
mit blanken henden snêwîz
und tete dar zuo sînen flîz
555 daz er in gar geschelte.
dar nâch der ûz erwelte
spielt in ebene als ein ei
mit einem mezzersnite enzwei
und bôt daz eine stücke dar
560 mit hovelicher zühte gar
Engelharte bî der stunt.
dar an wart im vil schiere kunt
daz im sîn vater rehte riet
dô er von im ze leste schiet.
565 Er gedâhte dicke wider sich
'ach herre got, wie gar bin ich
eins geverten hie gewert.
allez des mîn herze gert
an gesellescheften nû,

542 harte gerne *H*] h. vnd g.
545 nû diz obez *H*] deß Obses.
547 oder aber *G*] oder. schilt ez, ob dû wilt *H*] schilt ob du es w.
550 sus *H*] so.
557 als ein ei *H*] also entzwei.
558 einem mezzersnite enzwei *Le*] seinem Messer schnitte dreyn (sînem mezzerlîne enzw. *H*).
565 er gedâhte (er dâhte *H*).
567 hie *G*] mich (nû *H*).
568 des – gert *H*] das – begert.
569 gesellescheften nû *H*] Gesellschaften nun.

570 daz hâst, vil lieber herre, dû
nâch vollem wunsche mir beschert.
ob dirre knabe mit mir vert,
sô bin ich immer sælden vol.
er ist gestalt ze rehte wol
575 nâch sæleclichen dingen,
daz mir vil wol gelingen
müeze abe sînem heile.
ez hât ze sînem teile
der wunsch vergezzen niender.
580 lebt ûf der erden iender
ein knabe sô höveschlicher gar,
sô wil ich daz er immer var
in aller guoter sælekeit.'
des fuor der jungelinc gemeit
585 gedenkende allez bî der zît.
daz selbe tet der ander sît.
er dâhte ouch harte stille
'wie gar mîns herzen wille
für sich ist gegangen.
590 ich wæne, ich hân gevangen
nâch dem ich lange hân gejaget.
mîn herze dicke hât geklaget
daz ich gesellen niht envant
der mich diuhte alsô gewant
595 daz er getriuwe künde sîn.
nû zöuget mir daz herze mîn

571 wunsche *H*] wunschen.
573 sælden *H*] glůckes.
574 ze rehte *H*] gerechte.
576 vil *G*] gar.
577 müeze abe sînem heile *Le*] Můsse von seinem h. (muoz von sînem h. *H*, muoz [müeze *Beitr. 37, 222*] an mînem h. *G*).
578 ez *H*] er (*H schlägt nach L* es *vor*).
579 wunsch – niender *H*] wůnsche – nimmer.
580 niender *H*] keiner.
582 er *H*] *f.*
584 des fuor *H*] daß fůrt.
586 ander sît *H*] ander seit (andersît *J*).
590 wæne *H*] dencke.
595 getriuwe künde *H*] getreuwer Kunde.
596 nû zöuget *R*] nun zeuge (nû zeiget *seit H*).

triuwe und einen stæten muot
an dem vil lieben knehte guot
ze dem ich hân gesellet mich.
600 mich dunket wol daz er und ich
gar gelîch ein ander sîn.
sîn forme gît den selben schîn
den eht ouch mîniu geben kan.
nein zwâre dâ gevæle ich an,
605 ich wæne unrehte in hân betrogen.
wan schœner vil und baz gezogen
ist er wærlîche danne ich sî.
mîn künden nimmer werden drî
sô rehte rîlich als er ist.
610 in hât der süeze werde Krist
gebildet nâch dem wunsche gar.
er ist sô rehte triuwevar
daz ich gewislîche weiz
daz er sich valsches nie gefleiz'.
615 Diz was ir trahten under in.
und dô si fuoren allez hin,
des verjâhens ûf der vart
daz Dieterich und Engelhart
ir zweier name wære.
620 ouch seiten si ze mære
ein ander ûf der strâze

598 an dem vil lieben *H*] in dem v. lieber.
599 ich hân *H*] hab ich.
600 er *H*] jr.
601 ein ander *H*] einer dem andern.
603 eht ouch mîniu *G*] ich auch meine (ouch diu mîne *H*, iht ouch mîniu *J*).
604 gevæle ich *H*] fehlest nicht (væle ich doch *G*).
605 ich wæne unrehte *H*] ich dencke unrecht. in hân *G*] bin. (*H vermutet Anm.* ich bin an rehtem sinne betrogen; an rehtem wâne ich bin *J*).
606 wan *H*] dann.
608 mîn künden *H*] m. vnkunde.
609 rîlich *J nach Wo AfdA 13, 236*] reinlich (*H*, wætlich *B*).
613 ich gewislîche *H*] ich deß gewißlich.
617 des *H*] das.
620 seiten *H*] senden.
621 ein ander ûf der strâze *H*] einr dem andern auff der strassen.

daz si in der selben mâze
gevüeren bî den zîten,
und daz si wolten rîten
625 ze Tenemarke beide.
si lobeten mit dem eide
ein ander dô geselleschaft.
diu wart von in mit stæter kraft
behalten ûf ein endes zil,
630 als ich iu noch bewæren wil
ê daz diz buoch sich wende
ze rüemelichem ende.
Nû daz die reinen knehte
vil schône und ouch vil rehte
635 geselleschaft geswuoren,
dô ritens unde fuoren
ze Tenemarken in daz lant,
und kâmen in die stat zehant
und ûf den schœnen palas
640 dâ der künic inne was
mit hûse bî den jâren.
und dô man die vil klâren
ûf den hof sach rîten,
dô wurdens an den zîten
645 empfangen wünneclîche.
wan der künic rîche
was dô sô tugentveste
daz er sîne geste
schôn unde wol hiez handeln.

622 in der selben mâze *H*] so weren dermaßen.
623 gevüeren *H*] gefahren.
626 lobeten *H*] globten beide.
627 ein ander *H*] einer dem andern.
628 in *H*] jm.
629 ein *Wo*] eins (ir *H*).
631 daz *G*] *f.* buoch *H*] Bůchlein.
632 ze *H*] Zu einem. rüemelichen *R*] růhmlichen.
637 Tenemarken *H*] Dennemarck.
640 inne was *H*] innen saß.
643 den hof *H*] dem Hofe.
644 wurdens an *H*] w. sie zu.
645 wünneclîche *H*] wunderleiche.
646 wan *H*] dann.
648 daz *H*] da.

650 ern wolte nie gewandeln
an den êren sîne site.
ouch wonte sîner frouwen mite
hôher tugent ein grôzez teil.
daz was der junkherren heil
655 die geriten kâmen dô.
si wâren beide ir künfte frô
unde enpfiengen si sô wol
daz man enpfâhen nimmer sol
zwên edele jungelinge baz.
660 ouch kunden si mit dienste daz
wol verschulden zwâre.
diu lûter und diu klâre
künigîn von hôher art
ze rede mit dem künege wart
665 von disen zwein besunder.
'sich, herre' sprach si, 'wunder
schœne an disen kinden.
wer möhte ûf erden vinden
zwêne knaben sô gar gelîch?'
670 'jâ' sprach der milte künic rîch,
'die werdent nimmer funden.
daz got in allen stunden
geprüeven grôziu wunder kan,
daz schînet zwâre wol hier an
675 daz dise jungelinge
an aller slahte dinge
sô gar gelîch ein ander sint.
sprechent an, ir lieben kint
(daz ir ze sælden sint genant!),

650 ern wolte *H*] er entwolte.
653 grôzez (michel *Schr*)
655 (die her g. *G*.).
656 künfte *H*] zukunfft.
661 (verschulden wol zewâre *Schr*).
664 ze rede mit dem künege wart *H*] zu reden zu d. K. trat.
673 geprüefen *G*] berůffen (prüeven *H*). grôziu (michel *Schr*).
677 ein ander *H*] an einander.
679 ze sælden sint (sît *G*) genant *G*] zu glůck sind genannt (ze sælden sît benant *H*).

680 sint ir gebruoder beide sant?'
'Nein' sprach zehant ir einer.
'vil werder künic reiner,
wir sîn alsus gesellen
daz wir ein ander wellen
685 behalten brüederlîche,
und sîn her in daz rîche
ûf iuwer hôhe milte komen.
kan unser dienest iu iht fromen,
der sol iu werden hie bereit.
690 und vinden wir die sælekeit
daz ir sîn welt geruochen,
an iu wir beide suochen
genâde und ouch gelücke.
iuwer lop ist flücke
695 ûf erden alsô sêre
daz man siht iuwer êre
alumbe und umbe sweimen.
si vert ze Bêheimen,
ze Ungern und ze Riuzen.
700 ouch siht man dâ ze Priuzen
vast iuwer êre erwahsen.
Franken unde Sahsen
hât erfüllet iuwer prîs.
vil hôchgelobter künic wîs,
705 wir biten flîzeclichen

680 gebruoder *Le*] Brůder.
683 alsus *G Beitr. 37 222*] anders sonst (sus *H*).
684f. daz wir ein ander wellen behalten *G*] so gute das wir beyde w. behalten (sô guote daz wir wellen uns halten *H*).
686 sîn her *J nach Wa*] sinne hett (sîn et *H*).
688 dienest iu iht fromen *J*] Dienst ichts frommen (dienest iht gefromen *H*).
689ff. bereit. – geruochen, *J* (bereit, – geruochen. *H*).
692 an iu *H*] dann euch.
694 flücke *H*] sehr geschicke.
696 daz *H*] da.
697 sweimen *H*] schwenden.
698 Bêheimen *H*] zu behenden.
700 dâ *H*] dann.
702 Franken *H*] in Fr.
705 wir *H*] vnd. biten *Schr*] bitten euch (*H–G*).

(des sîn wir her gestrichen)
daz ir güete an uns begânt
und ir uns hie belîben lânt
biz sich gebezzert unser jugent
710 von der vil süezen reinen tugent
der ein wunder lît an iu.
ob wir zwei jâr oder driu
belîben hie, daz muoz uns geben
immer tugentrîchez leben.'
715 Der künic edel von geburt
gap der rede in antwurt.
'ir herren beide' sprach er dô,
'ich bin des inneclichen frô
daz ir her zuo mir komen sît.
720 an iu sô rîchiu sælde lît
daz iu schiere wirt bereit
mit lange wernder stætekeit
allez daz ich guotes hân.
die wîle ir wellent hie bestân
725 sô sint mir willekomen gote.
mir ist vil hôher êren bote
an iu ze hûse komen hie.'
'genâde, herre' sprâchen sie,
die zwêne knaben ûz erkorn.
730 'der von der megede wart geborn
vergelte iu, herre, disiu wort
und gebe iu stæter freuden hort
umb iuwer hôhe miltekeit.
swaz uns von iu wart ie geseit,

707 (ir die g. *G.*)
708 (ir *str. Müller*).
709 (gebezzer *Müller*).
712 (und ob *G*).
716 (der rede gap *G*). in *B*] *f.* (im *H–G*).
719 her zuo mir komen *G*] kommen zu mir.
720 rîchiu sælde *H*] reiches glůcke.
721 schiere wirt *Wo*] sicher ist (*H,* bî mir ist *J*).
722 lange wernder *H*] langer Wirde.
723 daz – hân *H*] deß – kan.
728 sie (die *seit H*).
729 die *Le*] *f.* zwêne knaben ûz erkorn *H*] Zwen Kn. sprachen sie außerk.
731 vergelte *H*] vergebe.
734 von iu wart ie *H*] von euch je ward.

735 künic vil gewaltec,
daz haben wir tûsentvaltec
an iu erfunden unde erkant.'
hie mite wurden si zehant
in des küneges hof geschriben,
740 dar inne beide si beliben
mit vil hôher zierde gar.
der künic hiez die hoveschar
in bieten zuht und êre.
ouch kunden si daz sêre
745 verschulden zallen orten
mit werken und mit worten.
Swâ mite ein man ûf erden
ze hove liep sol werden,
daz kunden si wol trîben.
750 lesen unde schrîben
sach man si beide schône.
in süezer stimme dône
seitens unde sungen.
si tanzten unde sprungen.
755 si schuzzen ouch ze deme zil.
schâchzabel unde seitenspil
kundens ûzer mâzen wol.
swaz man nû kurzewîle sol
vor rittern und vor frouwen
760 hœren unde schouwen,
daz lac an in mit voller kraft.
des wart sô gar liutsælekhaft
ir werdez leben unde ir lîp

737 erfunden *G*] funden.
739 in (an *H*). geschriben *H*] getriben.
743 in bieten *H*] in erbieten.
747 swâ mite ein man *Schr*] DAmit jemand.
749 kunden *H*] kundte.
750 lesen *H*] Teutsch lesen (tensch l. *Schr.*)
752 stimme *H*] Stimmen.
757 ûzer mâzen *H*] auß dermassen.
758 swaz man nû kurzewîle *G*] was m. nur kurtzweilen (sw. m. kurzewîle *H*, sw. m. durch k. *Spr*).
761 in mit voller *H*] jm mit aller.
762 des *H*] das. gar *Schr*] *f*.

daz beide dô man unde wîp
765 vil dicke dâhten 'herre got,
waz hât dîn wunderlich gebot
wünneclicher sælekeit
an disiu werden kint geleit!
daz wirt an in bewæret wol,
770 swâ man geburt erkennen sol,
daz si von adel komen sint.
wol si vil sæleclîchiu kint
daz si zer werlde ie kâmen!
wol dem vil reinen sâmen
775 von deme wuohs sô reiniu fruht!'
sus wart ir adel unde ir zuht
geprîset und gerüemet.
der hof der stuont geblüemet
mit den beiden über al.
780 ouch treip man umbe als einen bal
ir lop in deme rîche.
man jach des endelîche,
si solten engel beide sant
und niht menschen sîn genant.
785 Hie enzwischen flîzic wâren
die süezen und die klâren
daz si gesellescheffte
mit ganzer triuwen krefte
vil stæteclichen wielten.
790 ein ander si gehielten

764 beide dô man *H*] beyde man (beide man dô *J*).
767 wünneclicher *H*] wunderlicher.
769 bewæret *H*] bewehren.
771 von *H*] vom.
772 sæleclîchiu *H*] seliges.
773 si zer werlde ie *H*] sie je zu der wirden.
775 wuchs sô *H*] so wuchß.
776 sus wart *H*] so wirt.
781 deme rîche *H*] den Reichen.
782 endelîche *H*] endteleichen.
783 si solten engel *H*] man solte Engel sie.
784 niht menschen *H*] nicht zwei M.
785 Hie enzwischen (*Le*, zw. *H*) flîzic *H*] hiezw. sie fl.
789 wielten *H*] milden.
790 ein ander *H*] vnder einander. gehielten *Le*] beh.

als man es wünschen solte.
swaz der eine wolte,
daz liez der ander stæte:
und swenne ez fuoge hæte,
795 sô wontens an den sîten
ein ander zallen zîten
und wâren sô gesellec
und alsô gar gevellec
daz man si nimmer mêr gesiht
800 die sô reiner triuwe pfliht
tragen zuo ein ander.
reht als ein salamander
in dem fiure muoz genesen,
sô wolten si bi einander wesen.
805 Si wâren zallen stunden
zesamene gebunden
mit hôher minnen stricke,
daz si des jâhen dicke,
geschæhe ir eime sterbens nôt,
810 der ander læge für in tôt
und wolte harte gerne ligen.
ir wille was dar ûf gedigen
daz si dâ liep unde leit
mit willeclicher arebeit
815 bi einander lîden wolten
unz si nû leben solten.
Jâ herre got vil tiure,
wie was sô rehte gehiure
ir triuwe und ir gesellekeit!

792 (sw. ie d. *G*)
796 ein ander *H*] bey einander.
799 (niender *Le*).
800 reiner *H*] reine.
804 bi einander wesen (*H*, bî ein gewesen *J nach B*).
807 minne *H*] Liebe,
808 des *H*] das.
813 daz si dâ liep unde leit *G*] das lieb vnd leit (daz si liebe unde leit *H*, daz sie liep unde leit *J*).
815 bi einander lîden (*H*, bî ein gelîden *J nach B*).
816 unz si nû leben *G*] dieweile sie leben (unz si leben *H*).
818 gehiure *H*] heuwer.

820 ach süezer got, wie was sô breit
ir schœne, ir adel unde ir tugent!
swaz aber sælden an ir jugent
und an ir kintheite lac,
vil lîhte man daz allez wac
825 engegen disem dinge
daz die jungelinge
ein ander wâren sô gelîch.
der ûz erwelte künic rîch
muoste mit den kleiden
830 si zwên underscheiden.
er gap in ungelîch gewant,
dâ durch der eine würde erkant
vor dem andern deste baz.
vil dicke man si beide maz
835 mit liehter angesihte klâr,
so enwas niht anders umbe ein hâr
der eine dan der ander.
der künic Alexander
fuor durch wunder in diu lant,
840 dâ von er vil unbildes vant:
hæt er si zwêne dâ gesehen,
er müeste wunders hân gejehen.
Si wâren dâ ze hove liep.
frou Sælde, maneger sorgen diep,
845 het ir unsælde dan getragen.
geliutert unde wol getwagen

822 swaz aber sælden *H*] was glůcklich.
823 an *H*] *f.*
825 engegen *Le*] Gegen. disem dinge *H*] diesen dingen.
827 sô gelîch *H*] also gleich.
830 si zwên *J* (si zwêne *H*).
834 vil *H* (swie *J*).
835 liehter *H*] liehtem.
836 so enwas niht anders *H*] so etwas anderß.
840 vil unbildes *H*] vnbildes viel.
841 dâ *H*] *f.*
842 wunders *H*] wunder.
844 frou Sælde *H*] Frauwen glůck.
845 ir unsælde dan getragen *H*] jr vnglůck ertragen (in ir ungelücke entragen *Le*).

wâren si von bresten,
und tâten swaz si westen
daz der künic gerne sach.
850 dâ von in beiden vil geschach
êren unde liebes dô.
nû stuont ez bî der zît alsô
daz der künic stæte
wol eine tohter hæte
855 gezogen, und diu künegîn,
diu reine und edel kunde sîn
an herzen unde an lîbe gar.
diu frouwe wünneclich gevar
gelebte sunder itewîz.
860 an ir lac alsô hôher flîz
daz ich mit tûsent münden
enkünde niht durchgründen
ir schœne, ir adel unde ir tugent.
wart iender keiserlîchiu jugent
865 unde erwünschter lîp gesehen,
daz muoste zwâre an ir geschehen
und weizgot niender anderswâ.
si was in deme rîche dâ
ein spiegelliehtiu wünne,
870 daz si der fürsten künne
moht iemer gerne schouwen.
ein krône ob allen frouwen

847 von *H* (vor *J*).
851 liebes dô *H*] l. viel alldo.
856 kunde sîn *H*] Kindesin.
857 lîbe *H*] Liebe.
858 frouwe wünneclich gevar *Le*] Jungfrauw wunniglich gefahr (juncfrouwe minnevar *H*, j. wunnevar *G*).
859 gelebte *J nach B*] gebitten (lebete *H*, diu lebte *G*). sunder itewîz *H*] sonder etwas.
860 alsô *G*] so. flîz *H*] preiß.
862 enkünde *H*] kundten sie.
863 ir *H*] *f.*
864 iender *Le*] jr(ie *H*).
869 spiegelliehtiu *G*] Spiegel, liechte (spiegel liehter *H*).
870 daz *H*] da.
871 iemer *H*] einer.
872 ob allen *H*] vber alle.

was ir wünneclicher lîp.
mit ir wâren alliu wîp
875 geblüemet über tiuschiu lant.
Engeltrût was si genant,
diu reine und diu vil guote.
ir herze in êren bluote
als ein gezieret meien rîs.
880 an ir lac der erwelte prîs
und daz lebende wunnen spil
daz man von wîben haben wil.
Diu selbe gar liutsælige,
diu keines wandels mælige,
885 was zîtic zuo der minne.
an jâren unde an sinne
was diu vil rehte kluoge
gewahsen in der fuoge
daz si bedenken wolte
890 waz werdem manne solte
schôn unde lobelichen stân.
si wolde in ir gedanken hân
ûz erwelter manne prîs.
wer hövesch wære in alle wîs,
895 des kunde si gewarten.
dar umbe der vil zarten
und der vil lobes reinen
diu Minne wolte erscheinen
daz si gewaltes künde pflegen.

873 wünneclicher (minnec-licher *H*).
874 (m. ir sô w. *G*).
875 über tiuschiu lant *G*] vber gantz Teutsch Land (über daz ganze lant *H*, über tenschiu l. *J nach B, auch Schr*).
877 *das zweite* diu *H*] f.
881 wunnen sp. *H*] Wunnenspiel (wunnespil *Le*).
883 gar (vil *Le*).
885 zuo der minne *H*] zu der Liebe zwar.
886 unde an sinne *H*] vnd alter für war.
892 si wolde in ir gedanken hân *H*] si wol in Ehrn gedencken kan.
893 ûz erwelter *H*] außerwehlte.
897 vil lobes *H*] Lob vil.
898 Minne *H*] Liebe.
899 gewaltes *H*] gemeldte.

900 wan swâ daz wîp beginnet wegen
in ir herzen mannes tugent
und mit gedanken sîne jugent
wil mezzen unde ergründen,
dâ kan diu Minne enzünden
905 herz unde muot dem wîbe
nâch des mannes lîbe.
Swer zucker dicke mizzet,
vil lîhte der sîn izzet
eteswenne ein kleine.
910 alsô tuot ein reine
und ein schœne sælic wîp.
sô diu eins werden mannes lîp
gemizzet in ir muote,
sô wil diu reine guote
915 dar nâch vil lîhte sîn bekorn.
des wart diu maget wol geborn,
Engeltrût, vil wol gewar.
wan sô si mezzen wolte gar
mit ir gedanken mannes tugent,
920 sô was ouch billich daz ir jugent
schiere des geruochte
daz mannes si versuochte.
Sît daz si wolte trahten
und in ir herzen ahten
925 wer hôher êren künde warn,
dô dorfte si niht verre varn

902 mit gedanken sîne jugent *H*] nicht gedencken seiner J.
904 dâ *H*] das. Minne *H*] Liebe.
908 vil *H*] vnd.
909 eteswenne ein kleine *H*] etwan gar kl.
910 (seht alsô *G*).
913 gemizzet *H*] geneusset.
914 wil diu reine guote *H nach L*] so viel d. r. vnd g.
915 bekorn *H nach L*] erkorn.
917 vil wol *H*] viel vnd wol.
918 sô] *f.* mezzen *H*] nießen.
920 ouch *G*] *f.*
921 schiere *R*] Auch schier (*H*, vil sch. *G*). des *H*] das.
922 daz mannes si *G*] d. man sie (daz si man *H*).
923 daz *J*] *f.*
926 verre *H*] ferrner.

ûz ir vater hûse.
si vant der Êren klûse
an zwein gesellen drinne
930 die beide ir stæte sinne
ze ganzer wirde truogen.
ouch kunde si beluogen
ir zweier sælde tougen
mit herzen und mit ougen
935 sô schône und alsô rehte
daz man zwên edele knehte
als inneclîche nie besach.
swenn ir diu state dô geschach
daz niemen ir enwart gewar,
940 sô warf si die gesiht aldar
ûf die vil sældebæren.
si kunde wol bewæren
in beiden minnetücke.
reht als si wæren flücke,
945 sus fuoren ûf si dicke
ir spilende ougen blicke.
und alzehant dô daz geschach
daz si mit ougen si besach,
sô liez si tougenlîchen
950 nâch der gesihte slîchen
ir sinne unmâzen lîse.
ir herze daz vil wîse
wolte nâch den ougen

928 vant *H*] sandte.
930 stæte *H*] ståter.
933 sælde *H*] glůckseligs.
937 inneclîche nie *H*] jnnig-lichen.
938 dô *H*] *f.*
939 daz niemen ir enwart *G*] daß sie niemand ward (d. ir niem. wart *H*).
940 aldar *H*] dar.
941 sældebæren (*so wol überall besser statt* sælden-bæren) *H*] glůcklichen beren.
943 minnetücke *H*] Liebe trucke.
944 si wæren *H*] weren sie.
945 sus fuoren ûf si dicke *H*] sonst f. sie auff d.
949 (hiez *Le*). tougenlîchen *H*] tugentleiche.
950 slîchen *H*] schleiche.
952 herze *H*] *f.*
953 wolte *H*] wolten.

spehen alsô tougen
955 ob iender an in wære
kein sache wandelbære.
Swie vil si des geluogete,
swenn ez ir ebene fuogete,
so envant si iedoch anders niht
960 wan daz ir klâren angesiht
unde ir herzen dûhte guot.
ir spilendiu ougen unde ir muot
diu funden zwâre beide
sô wünneclîche weide
965 an den zwein gesellen
daz diu Minne stellen
begunde an ir besunder
ein inneclichez wunder.
ein wunder, mac ich sprechen wol:
970 wande iuch wunder nemen sol
des dinges daz an ir geschach.
als mir diu wâre schulde jach,
sô wart diu sælden rîche
von in zwein gelîche
975 mit liebe gar durchgründet
und von dem fiure enzündet
daz frou Minne enpfenget,
sô si sich ofte menget
under man und under wîp.
980 ir süezer wünneclicher lîp

957 des *H*] das.
959 so envant si iedoch anders niht *G*] so ervant sie anders n. (sône ervant si a. n. *H*).
960 daz *H*] *f.* klâren *B*] klare (*H*, klâr *J*).
961 herzen *Schr*] Hertze. dûhte *H*] sie dachte.
964 wünneclîche *H*] wunniglichen.
966 Minne *H*] Liebe.
968 inneclichez (minneclichez *H*).
970 wande *H*] dann.
973 sælden *H*] glůcklichen.
974 von *H*] vnd.
975 liebe *J* (minne *H*).
977f. daz frou Minne enpfenget, sô si sich ofte menget *H*] das einblôset Frauwen Liebe, wo sie sich offtmals vbet.
979 man (manne *H*).
980 wünneclicher (minneclicher *H*).

wart in kurzer stunde
in beiden holt von grunde.
ir einic sin, ir einic leben,
wart in zwein alsô gegeben
985 daz si begunde minnen
mit lîbe und ouch mit sinnen
si beide samt gelîche
sô gar inneclîche
daz sô vaste nimmer wîp
990 geminnet eines mannes lîp.
Hie prüeve ich an dem mære
daz Minne wandelbære
was an ir gedanken ie.
swaz si iezuo lêret hie,
995 daz kan si dort verbieten.
swer sich dar under nieten
dicke sol ir ræte,
der wirt vil lîhte unstæte.
si kunde dar ûf dringen
1000 mit herzelichen dingen
die süezen und die guoten,
die werden hôchgemuoten,
daz si bi einander zwêne man
in ir herzen liep gewan.
1005 dâ wider rætets anderswâ
daz niemen weder hie noch dâ
zwei liep in sînem sinne
von herzen niht enminne.

981 kurzer stunde: grunde *H*] kurtzen stunde : grunden.
985 begunde minnen *H*] begunten lieben.
986 mit lîbe und ouch mit sinnen *H*] mit leben vnd mit vben.
987 samt *Le*] sament.
988 (alsô *G*.)
990 geminnet *H*] gewinnet.
991 an dem mære *H*] ander mehre.
992 Minne *H*] Liebe.
993 was (wære *Schr*).
994 (wan sw. *G*). hie *H*] sie.
997 ræte *H*] Rede.
1003 bei einander zwêne man (*H*, bî ein die zwêne man *J nach B*).
1005 rætets *H*] hettestu.
1008 enminne *H*] eynnimme.

wer sol hier under sich bewarn?
1010 wil Minne mit ir ræten varn
sô gar unstæteclîche,
wie mac dan immer rîche
ein edelez herze ûf erden
an rehter minne werden?
1015 Doch was si gar unschuldic hie.
swaz si begunde râten ie,
sô wil ich si doch fürbaz niht
strâfen umbe die geschiht
die si wol kunde erscheinen
1020 der klâren und der reinen
mit lêre und ouch mit ræten.
riet si der vil stæten
vil schône und ouch vil rehte
daz si zwên edele knehte
1025 ze herzen niht entrüege,
dazn was niht ungefüege.
sît daz die knaben tugentrîch
ein ander wâren sô gelîch
daz kein underscheiden
1030 wart funden an in beiden,
sô was ouch vil gebære
daz kumberlîche swære
diu schœne durch die beide lite
und in gelîche teilte mite

1010 wil Minne mit ir ræten *H*] viel Liebe mit ehrn rede.
1012 immer rîche *H*] jmmerleiche (iender r. *Le*).
1013 edelez *H*] edelers.
1014 minne werden *H*] Liebe zu w.
1015 doch *H*] avch.
1016 swaz si begunde râten ie *J nach B*] weil sie mit reden begunte ie (swaz si began mit ræten ie *H*).
1019 die si wol kunde *G*] wie sie kundten (die sie kunde *H*).
1021 ræten *H*] reden.
1022 (jâ riet si *H*).
1023 *im Druck nach* 1024.
1026 dazn was niht ungefüege *J*] daß etwas nicht vnfuge (daz was ab niht gefüege *H*).
1028 ein ander wâren sô gelîch *H*] einer dem anderen was gleich.
1033 lite *H*] leit.
1034 mite *H*] damit.

1035 ir inneclîche trûtschaft.
wie solte ir herze tugenthaft
an den werden kinden
underscheide vinden,
sît daz ir ougen beide
1040 an in kein underscheide
erfunden noch ersâhen?
daz herze muoz enpfâhen
liep oder leit vil drâte
al nâch der ougen râte:
1045 wan swaz den ougen sanfte tuot
daz dunket ouch daz herze guot,
und ist im zwâre wol dâ mite.
herze und ougen hânt den site
daz si gehellent under in.
1050 daz ouge muoz des herzen sin
ze minneclichen dingen
leiten unde bringen
beide stille und über lût.
dâ von diu maget Engeltrût
1055 al nâch der ougen lêre
die zwêne knaben sêre
von herzen muoste minnen.
si mohte niht gewinnen
disen lieber danne jenen:
1060 si muoste sich nâch beiden senen
samt und niht besunder.
daz schuof daz fremde wunder
daz von gelîcheite

1038 (ein u. *G*). underscheide vinden *H*] Vnderscheit zu f.
1041 erfunden *G*] funden.
1042 muoz *H*] mûsse.
1044 al *H*] als.
1045 wan *H*] dann.
1047 im *H*] jn.
1049 gehellent under in *H*] gesellen under ein.
1050 sin *H*] seyn.
1051 minneclichen *H*] lieblichen.
1057 von herzen muoste minnen *H*] mußte lieben on Hertzen.
1058 si mohte niht gewinnen *H*] sie m. n. mit schmertzen.
1061 samt *Le*] Samment.
1063 von gelîcheite *H*] v. der Liebeheyde.

got an si beide leite.
1065 Ir zweier muot, ir zweier sin
weizgot die wâren under in
gelîch ân allez underbint.
des wart diu maget alsô blint
an ir menneschlicher art
1070 daz Dieterich und Engelhart
ir wâren als ein einic man.
ir herze nâch in beiden bran
in eines mannes bilde.
ir wart gemachet wilde
1075 des diu natûre sich begât
und von wâren schulden lât
an alten unde an kinden
underscheide vinden.
Dâ man sich des vereinet
1080 daz man ein mensche meinet
für daz ander etewâ,
daz füeget diu natûre dâ
verborgen unde tougen.
si lêret herze und ougen
1085 ein für daz ander triuten.
doch kunde si bediuten
der süezen Engeltrûte niht,
swie vil man ir gewaltes giht,
wie si ir fünde ein underscheit

1064 beide leite] legt beyde (geleite *H*).
1065 ir zweier sin *J*] vnd ir sinn (und ouch ir sin *H*).
1073 in eines mannes *Le*] Vnder eines Mannes (under einem *H*).
1074 gemachet *H*] gar offt ohnmacht.
1075 des *H*] daß.
1077 kinden *H*] Kindern.
1078 (ein u. *G*). underscheide vinden *H*] vnderscheiden vnd mindern.
1080 daz man ein mensche *G*] Daß m. ein Mensch (und einen menschen *H*).
1081 für daz ander *G*] für den andern.
1082 füeget *H*] fůgete.
1085 ein für daz ander triuten *H*] eines f. d. a. deuten.
1086 kunde si bediuten *H*] kundten sie beyzeiten.
1089 wie sie ir fünde (wie sir f. *H*, wies ir f. *J*).

1090 an den gesellen vil gemeit.
Des sprach si dicke wider sich
'ach herre got, wie gar bin ich
mîn selber sô verirret
daz sich mîn herze wirret
1095 in sorgen maneger hande.
in zweier slahte bande
ist mir der muot gebunden.
sol ich zallen stunden
triuten sô gar eine
1100 mit herzelicher meine
zwên alsô minneclîche man,
wê daz ich dann ie gewan
herze leben oder lîp!
deiswâr ein reine sælic wîp
1105 hât mit einem liebe gnuoc.
zwei liep nie stætez wîp getruoc
in ir herzen muote.
der edel und der guote
der in diu herzen blicket
1110 und alliu dinc entstricket
diu tougen oder offen sint,
der mache balde ein underbint
an den gesellen beiden,
daz ich künne gescheiden

1093 selber sô *H*] selbest so gantz.
1094 mîn herze wirret *G*] m. Hertz vnd Sinn verwirret (mîn sin verw. *H*).
1099 triuten sô gar eine *H*] trauwren so gar alleine.
1101 zwên alsô minneclîche *H*] also zwene liebliche. man, *H* (man? *Spr*).
1102 wê daz ich dann ie *J nach B*] wie daß ich je (wê danne daz ich ie *H,* wê mir daz ich ie *Spr*).
1104 deiswâr ein reine sælic *H*] das ist, war ein reinselig.
1105 liebe *H*] Leibe.
1106 zwei liep nie stætez wîp getruoc *H*] zweyer Weib lieb nie stæts Weib trug.
1107 in ir herzen *H*] seit in jrem *H*.
1108 der g. *Schr*] der viel g.
1110 entstricket *H*] verstricket.
1111 tougen *Schr*] heimlich. offen *H*] öffentlich.
1114 daz *H*] als.

1115 ir einen mir besunder ûz,
und mir der ander als ein grûz
werden müeze in kurzer frist.
ich ziuhe ez an den werden Krist
daz ich si beide minne
1120 mit herzen und mit sinne:
doch sol mir got verbieten
daz ich mich wolde nieten
mit der tât ir beider.
ich arme enkan niht leider
1125 des dinges über werden,
ichn müeze in ûf der erden
beiden holt von herzen sîn.
daz aber si gewaltic mîn
nû beide werden müezen,
1130 daz sol den edelen süezen
mit gotes helfe sîn verzigen.
zewâre ich wolte ê tôt geligen
ê daz mîn lîp vil reine
würde in zwein gemeine.'
1135 Sus saz si redende alle tage
und treip verholne dise klage
mit herzen und mit munde.
si dâhte zaller stunde
wie sie doch des begünde

1116 ein *H*] *f*.
1117 müeze *H*] muß.
1118 ziuhe es *H*] zeihen es.
1119 beide minne *H*] liebe beide.
1120 mit sinne *H*] mit freude.
1123 mit der tât *H nach L*] m. dem Todt.
1124 arme enkan *H*] armen kan.
1125 über *H*] vbrig.
1126 ichn müeze *H*] ich můßte.
1127 von herzen sîn *H*] werden.
1128 daz aber si *J*] daß sie (wan daz si *H*). mîn *H*] mit geferden.
1129 nû *J*] vnd (*str. H*).
1131 sîn *H*] werden.
1132 geligen *H*] liegen.
1133 daz *H*] dann.
1134 würde in zwein *J nach B*] w. jr zweyer (ir zweier würde *H*).
1135 sus *H*] so.
1136 verholne *H*] verholen.
1138 dâhte *H*] doch.
1139 (doch *str. H*).

1140 daz si gescheiden künde
die knaben ûz besunder
alsô daz ir dar under
der ander misseviele
und daz ir herze wiele
1145 von grunde nâch dem einen.
si wolte ungerne meinen
si beide samt gelîche.
diu süeze tugentrîche
sô rehte kiusche was benamen
1150 daz sich begunde ir herze schamen
daz ez solte brinnen
nâch zweier manne minnen.
Dar umbe ein underscheiden
suochtes an in beiden
1155 in vil harte manege wîs.
ir schœne, ir tugent, ir êren prîs
mit ougen si vil dicke maz,
ob ir der ander lîhte baz
geviele dan der eine,
1160 daz si vil lobes reine
besunder ir den ûz erkür.
nû daz si wider unde für
besach si beide in einer stunt,
und ir kein underscheit wart kunt
1165 an ir zweier lîbe zart,

1144 und *H*] was.
1147 samt *Le*] sament.
1150 begunde ir herze *J*] jr Hertz begunde (ir herze b. *H*).
1151 brinnen *H*] brinnen und vben.
1152 minnen *H*] lieben.
1155 harte manege *H*] hart vnd m.
1156 ir tugent *H nach L*] vnd t.
1157 si vil dicke *H*] viel vnd dick sie.
1158 lîhte *H*] vielleicht.
1160 lobes *H*] lobe.
1161 den ûz erkür *H*] viel gång außkur. (*Le erwägt* ir sunder gingen den erkür; *evt.* besunder jenen ir erkür *R*).
1162 nû *H*] nur.
1164f. (kein underscheide kunt / wart an *H*).

noch an ir siten und ir art
ungelîches niht ervant,
dô nam diu schœne sâ zehant
ir zweier namen in den munt.
1170 die begundes an der stunt
merken unde prüeven sâ.
sît daz niht ungelîches dâ
an ir lîben wart gesehen,
dô woltes an ir namen spehen
1175 mit willen ob ir einer,
iht süezer unde iht reiner
dan der ander hülle.
swelhes name erschülle
mit liuten in ir ôren baz,
1180 den wolte ir herze sunder haz
triuten unde minnen
mit muote und ouch mit sinnen,
und ir der ander wære
leit unde gar unmære.
1185 Ez wurden von der lobesamen
gemerket dise zwêne namen,
Dieterich und Engelhart.
ir zweier lût vil dicke wart
geprüevet von der schœnen.
1190 ir hellen und ir dœnen

1166 siten (site *Schr*). und ir art *H* (und an ir a. *J*, *Schr*.)
1167 (si ungel. *H*).
1168 sâ *Le*] da.
1171 sâ *H*] also.
1172 dâ *H*] do.
1174 dô woltes *H*] wolt sie.
1175 einer *H*] euwere.
1176 iht – iht *H*] ichts – ichts.
1177 hülle *H*] hulde.
1178 (und sw. *G*).
1179 mit liuten in ir ôren *G*] den Leuten in jren ohrn (und in ir ôren lûte *H*).
1181 triuten unde minnen *H*] mit treuwen vnd mit lieben.
1182 mit muote und ouch mit sinnen *H*] mit Hertz, muht vnd m. s.
1185 lobesamen *H*] lobesam.
1186 namen *H*] Mann.
1188 lût *H*] lieb.
1190 hellen *H*] gellen.

begundes ahten sêre.
dâ von diu tugenthêre
des über ein vil balde kam
daz Engelhart ein süezer nam
1195 wære danne Dieterich.
'wê' sprach si tougen wider sich,
'Engelhart der name guot
vil sanfter in den ôren tuot
danne Dieterich für wâr.
1200 er solte leben alliu jâr
der in ze namen ûz beschiet.
nâch der engelischen diet
gehillet sîn vil reiner lût.
dar zuo sô bin ich Engeltrût
1205 genennet selbe ân allen spot.
die zwêne namen, sam mir got,
Engeltrût und Engelhart,
gehellent nâch gelîcher art
und zement bî einander wol.
1210 dâ von ich Engelharten sol
für Dieterichen minnen.
er muoz in mînen sinnen
vil gar versigelt werden.
sît daz dem namen ûf erden
1215 mîn name ist alsô anelich,

1193 des *G*] *f*.
1194 nam *H*] Mann
1195 danne Dieterich *H*] denn Hertzog D.
1196 tougen *H*] heimlich.
1200 (*st.* alliu *vermutet Schr* manegiu *oder* volliu).
1201 der in ze namen ûz beschiet *R nach Le*] Der Zunamen jn auß bescheit (d. im den namen sus b. *H*).
1202 (al nâch *G*). diet *H*] deut.
1203 gehillet – reiner *H*] glantzet – reine.
1204 sô *H*] *f*.
1205 selbe *H*] selber.
1206 sam mir *H*] summer.
1208 gehellent *H*] glantzen.
1211 minnen *H*] lieben.
1212 in mînen sinnen *H*] an meinem sinn eben.
1214 sît daz dem namen *H*] biß daß der.
1215 ist also anelich *G*] ist ehnelich (sô gelîchet sich *H*).

sô dunket mich doch mügelich
daz ich in deste lieber habe.
ich bin nû Dieteriches abe
in mînes herzen sinne komen,
1220 und habe sunder ûz genomen
den werden Engelharten.
ûf den sô wil ich warten
mit herzen und mit ougen.
diu rede ist âne lougen'.
1225 Mit der vil süezen kündekeit
diu maget vant ein underscheit
an den trûtgesellen zwein.
diu schœne kam des über ein
daz si von grunde wolte senen
1230 zallen zîten sich ûf jenen
und disen wolte mîden.
si wolte gerne lîden
durch Engelharten senenôt
und Dieterîche alsô den tôt
1235 wünschen zaller stunde.
ir herze wart von grunde
Engelharte unmâzen holt.
der eine was ir als daz golt
und was der ander als der wint.
1240 ir zweier namen underbint
geschuof an ir daz wunder
daz Engelhart besunder
in ir herze wart geleit
und Dieterich dar ûz gejeit.
1245 Swaz si dâ vor mit stæter kraft

1224 âne *H*] ein.
1225 der vil (dirre *Le*).
1226 vant ein *H*] fand als ein.
1227 den trûtgesellen *H*] den viel trawt g.
1229 si von *H*] sie sich v.
1230 sich *H*] *f*.
1233 senenôt *Le*] seine not (sende n. *H*, eine n. *JG*).
1235 zaller stunde *H*] zu allen stunden.
1236 von *H*] vom.
1238 als daz *H*] als ob das.
1239 was *G*] *f*. als *H*] gleich als.
1244 gejeit *H*] gereit.

innneclicher friundschaft
gelîche engegen in beiden truoc,
daz wart dô lûterlîche gnuoc
geleit wan an den einen.
1250 iedoch was den vil reinen
ir wille noch verborgen.
ir trûren und ir sorgen
was in beiden gar verholn.
si liezen si grôz jâmer doln,
1255 und dienten ie dem künige rîch
mit willen aller tegelîch
sô schône und alsô rehte
daz man zwên edele knehte
gesæhe nie baz dienen.
1260 si leiten unde spienen
für sich gar den willen sîn
und tâten offenlichen schîn
daz si den leisten wolten.
swâ mite si dâ solten
1265 ze sælden und ze prîse komen,
daz hætens an sich gar genomen,
die zwêne tugentrîchen.
nû daz si werdeclîchen
bî dem künege alsô beliben
1270 biz si mit êren dâ vertriben
etelîchiu jâr dar nâch,

1247 gelîche engegen (*Le*) in beiden *H*] gegen jn b. gleich.
1249 wan *H*] nur.
1254 si liezen si grôz jâmer doln *R*] Liessen sie grossen jamer tholn (si muoste grôzen j. d. *H*, si lernte grôzen j. d. *J*, si kunde grôzez j. d. *G*).
1256 aller tegelîch *H*] alle tage gl.
1258 edele *H*] edeler.
1259 (*Le stellt um* n. b. g. d).
1261 willen sîn *H*] wilden sinn.
1265 ze sælden *H*] zu glücke.
1266 hætens *H*] hatten. gar *H*] *f.* 1266 f. genomen, die zw. (genomen. Die zw. *H*; *im Dr. kein Absatz)*.
1267 tugentrîchen *H*] gar t.
1269 beliben *H*] geblieben.
1271 dar nâch *H*] gar nah.

dô kam ein bote (dem was gâch),
der âventiure lâgende,
vorschende unde frâgende
1275 der endelichen mære,
ob dâ ze hove wære
ein knabe Dieterich genant.
'jâ' sprach ein ritter alzehant
(der was ein alter hoveman),
1280 'ob ich ez rehte sagen kan,
guoter kneht, sô vindestû
bî dem werden künege nû
zwêne knaben lobelich.
der heizet einer Dieterich
1285 und der ander Engelhart.
sô liep und alsô rehte zart
si beide mînem herren sint
als ob si wæren siniu kint.'
Der rede wart der bote frô.
1290 'ach, sælic herre' sprach er dô,
'wie sol ich des gevâren
daz ich den süezen klâren
der Dieterich geheizen ist
gesprechen müge an dirre frist
1295 und ich mit im ze rede kome?'
'dâ muostû warten' sprach der frome,
'biz daz mîn herre gezzen habe.
sô koment danne si her abe,
die zwêne knaben tugentrîch.
1300 ir ein dem andern ist gelîch,

1272 ein bote (dem was gâch) *H*] ein Bott an eim Sontag.
1273 der âventiure lâgende *H*] darnach der Ohrnthür sagende.
1280 ez rehte sagen *B*] es reht gesagen (ez rehte gesagen *H*, gesagen ez rehte *J*).
1288 als ob (reht als *Schr*).
1294 gesprechen *Schr*] sprechen.
1296 dâ *H*] deß.
1298 danne *H*] *f.*
1300 ir *Schr*] *f.* ein dem andern ist gelîch *H*] einer ist d. anderen gl. (ein ist dem andern sô gelîch *B*).

wan daz si mit den kleiden
besunder sint gescheiden
vom künege zallem mâle.
ez treit von fritschâle
1305 Engelhart ein rîchez kleit.
sô hât Dieterich geleit
an sich bî dirre zîte
ein kleit von brûnîte.
dâ bî maht dû si erkennen wol.'
1310 sus gienc der bote freuden vol
sitzen biz der künic gaz.
nû dô er alsô gesaz
biz daz der tisch erhaben wart,
dô kam gegangen Engelhart
1315 und der getriuwe Dieterich.
bî henden hæten si dô sich
durch gesellescchaft genomen.
dô si sach der bote komen,
dô gienc er Dieterîche engegen:
1320 diz wort begunde er im dô legen
vil harte tougenlîche für.
'fürste junc von hôher kür'
sprach er zim vil suoze,
'nemet eine muoze
1325 und lâzet iuch gesprechen hie.'
Dieterich dô balde gie
aleine mit dem knehte
und hiez in sagen rehte
waz sîn wille möhte wesen.
1330 'junkherre guot und ûz erlesen'

1301 wan *J nach Wa*] *f.*
1306 geleit *H*] angeleit.
1313 daz *Schr*] *f.*
1316 bî *H*] mit.
1318 (und dô *G*).
1319 dô *H*] *f.*
1320 dô legen *H*] darlegen.
1321 vil (*Le,* gar *G*) harte tougenlîche *G*] harte tugentl.
1325 gesprechen *H*] besprechen. *Hinter* 1326 *schiebt der Druck ein:* Da kam gelauffen, das ist war, Der Bott auß Brabant offenbar.
1328 hiez in *H*] ließ jm.
1330 und *H*] *f.*

sprach er aber dâ zehant,
'diu herzogîn von Brâbant,
iuwer reiniu muoter,
hât mich, knabe guoter,
1335 gesant her in daz rîche,
durch daz ich endelîche
ir boteschaft iu künden sol.
ich bin geloufen als ein mol
alumbe und umbe ein halbez jâr
1340 und hân gesuochet iuch für wâr
über allez tiusche lant.
der fürste dâ von Brâbant,
des ir ze vater muostet pflegen,
der ist nû lange tôt gelegen,
1345 und ist daz herzogentuom
und al sîn fürstlicher ruom
mit ein ûf iuch gevallen.
dar umbe sult ir wallen
wider heim vil balde dan,
1350 ê daz die iuwer dienestman
vil lîhte geben eteweme,
entweder disem oder deme,
iuwer liute und iuwer lant.
ir muot der ist alsô gewant,
1355 ob ir niht balde komet dar,
daz si gedenkent etewar
zeinem herren sich gehaben.

1334 knabe *H*] Knaben.
1336 durch *H*] auff.
1337 künden *H*] verkûnden.
1339 alumbe *G*] vmbe.
1341 über allez tiusche lant *H*] vberall in gantz Teutschland.
1343 des ir ze vater muostet pflegen *H*] den jr zum v. mûßt jehen (des ir z. v. muostet jehen *J nach Wa*).
1344 gelegen *H* (gesehen *J nach Wa*).
1346 al *H*] aller.
1347 ein *J nach Wa* (im *H*).
1349 vil *G*] gar.
1350 die *G*] *f.*
1354 der *H*] *f.* (*J in Anm.*).
1356 gedenkent *H*] gedenkket.
1357 sich *H*] euch.

daz ir nû lange sît begraben,
seht, daz ist ir aller wân.
1360 di wellent des gelouben hân,
ob ir noch lebendic wærent,
daz ir des niht enbærent
1365 und wellent hie ûf erden
1366 gewaltic immer werden
1367 landes oder liute dâ,
1368 daz ir widerkêrent sâ
1363 ie ê ie bezzer zuo der frist
1364 (dar umbe iu daz enboten ist)
1369 und an iuch ziehent iuwer dinc.
1370 ach herre, süezer jungelinc,
geloubet ir der mære niht,
sô nemet ir in iuwer pfliht
diu rehten wortzeichen.'
alsô begunde er reichen
1375 Dieterîche sâ zehant
einen brief, dar an er vant
alles des die wârheit
daz er im hæte dô geseit.
Dô er nû allez daz gelas
1380 daz an den brief geschriben was,
dô wart sîn herze freuden blôz.
er huop ein klagen alsô grôz
um sînes lieben vater tôt.
doch klagte er vaster dise nôt,

1358 daz *H*] vnd.
1360 di wellent *H*] gedencken vnd.
1360–69 *Umstellung nach Le; G hatte nach* 1362 *eine Lücke* (*einen von* enbern *abhängigen Satz*) *angenommen.*
1361 (lebende *Le*).
1362 des *H*] da.
1365 hie *R*] jr.
1367 dâ (: sâ) *H*] do (: so).
1368 (ir her w. *G*).
1370 herre *H*] jr.
1371 der *H*] dieser.
1372 ir *H* (hie *J*).
1373 wortzeichen *H*] Warzeichen.
1374 reichen *H*] zu r.
1375 sâ *Le*] da.
1377 des die wârheit *H*] was dir w. geit.
1380 an den brief *Schr*] in dem br. (an dem brieve *H*).
1384 vaster *H*] fast.

1385 ob er ze lande wolte,
daz er sich danne solte
von Engelharte scheiden.
er wart mit herzen leiden
ze volleclichen überladen.
1390 er wolte gerne grôzen schaden
an sîme lande hân genomen,
durch daz er nimmer wære komen
von sîme trûtgesellen.
er kunde jâmer stellen
1395 und inneclicher riuwe pflegen.
sîns guotes wolte er sich verwegen
vil lieber an den zîten
ê danne er wolte rîten
von Engelharte wider hein.
1400 al sîn wünne gar verswein
und wart sîn herze freuden bar.
er gienc vil klegelichen dar
für Engelharten bî der stunt
und machte im dô mit rede kunt
1405 sîner muoter boteschaft.
er sprach 'geselle tugenthaft,
ich sol ze lande kêren,
wil ich von hôhen êren
niht gescheiden werden.
1410 wan ich bin ûf der erden
gevallen in vil klagende nôt.
mîn vater ist mir leider tôt,
der fürste rîch von Brâbant,

1389 ze *G*] *f*.
1390 gerne (*H*, gerner *J nach B*).
1392 durch daz er nimmer wære komen *G*] drumb d. e. i. wer k. (daz er nimmer müeste k. *H*, dan daz er immer wære k. *J nach B*).
1393 sîme trûtgesellen *H*] seim trauwt lieben G.
1394 kunde jâmer *H*] k. den j.
1395 riuwe *H*] treuw.
1398 ê *Schr*] *f*.
1402 vil *G*] gar.
1404 dô mit rede *G*] dessen (dô schiere *H*).
1413 der fürste rîch *G*] der r. f.

und muoz ich erben sîniu lant:
1415 wan daz herzogentuom
und al sîn fürstlicher ruom
ist gevallen ûfe mich.
dâ von ich, trûtgeselle, dich
vil sêre und inneclîche man
1420 daz dû mit mir kêrest dan
wider heim ze lande nû.
vil sælic friunt, dâ wirdest dû
gewaltic alles daz ich hân.
ich sol dir machen undertân
1425 lîp unde guot, die beide.
vil gar ân underscheide
solt dû gebieten über die.'
'zewâre ich muoz belîben hie'
sprach der getriuwe knabe zime.
1430 'diu mære diu ich hie vernime,
diu gânt vil harte nâhe mir:
wan ich mit grimmer nôt enbir
der trûtgeselleschefte dîn.
ich wolte gerne bî dir sîn
1435 immer nâch mîns herzen gir.
swie kûme ich aber dîn enbir,
sô râte ich endelichen doch
daz dû ze lande kêrest noch
ze dînem erbeteile.
1440 got lâze dir nâch heile
alliu dîniu dinc ergân.

1415 wan *G*] vnd. daz *H*] deß. herzogentuom (herzogentuom. *H*).
1416 und *G*] *f.* al sîn fürstelicher ruom *H*] aller seinen Fůrstlichen R.
1418 von *H*] *f.*
1419 vil sêre *G*] hefftig (vaste *H*). man *H*] manen.
1420 dan *H*] dannen.
1421 heim *H*] Herre.
1422 dâ wirdest dû *H*] du wirsts thun.
1428 zewâre *H*] wann.
1431 vil *Le*] gar.
1433 trûtgeselleschefte *G*] guten G. (geselleschefte *H*).
1435 gir *H*] begir.
1436 aber dîn *H*] dein aber.
1440 nâch *H*] noch.
1441 alliu dîniu dinc *H*] alle deinem dinge.

ich muoz noch langer hie bestân
bî dem künege (daz ist reht)
und als ein vil ellender kneht
1445 dienen der niht geltes hât.
der ungedanket niht enlât
swaz in triuwen hie geschiht,
der lâze ouch ungelônet niht
der vil hôhen triuwen dir,
1450 trûtgeselle, die dû mir
mit willen ie erscheintest.
daz dû mich ie gemeintest
alsô gar inneclîche,
des krœne got der rîche
1455 mit sælden immer dîne jugent.
ez was an dir ein michel tugent
und ein vil grôziu diemuot
daz dû, junger fürste guot,
sô nider ie gemachtest dich
1460 daz dû gesellescheft mich
sô lûterlîche hâst gewert,
wand ich enwart des nie sô wert
daz eines landes herre grôz
ze hove solte mîn genôz
1465 an gesellescheft sîn.
ez wart an mir vil volle schîn
daz ich vil tumber sinne wielt,
sît ich dich verre baz niht hielt

1444 ellender *H*] edeler
1446 ungedanket niht enlât *G*] nicht ung. lat.
1447 swaz *G*] Das. hie *H* (ie *J nach Wa*).
1448 ouch *H*] euch.
1451 erscheintest *H*] erzeigetest.
1453 alsô *G*] so. inneclîche *J*] eigentleiche (eigenlîche *H*)
1455 sælden *H*] glůck.
1456 michel *Schr*] groß.
1457 diemuot *H*] armut.
1462 enwart des nie sô wert *G*] wart dessen nie w. (wart des niene w. *H*, des enwart nie w. *J*).
1466 vil volle *J*] wol viel (vil harte *H*).
1467 vil *G*] gar. tumber *H*] důnner.
1468 verre baz niht hielt *H*] fürbaß niht enthielt.

dan alle mîne gesellen ie.
1470 ich solte sîn gewesen hie
dîn kneht vil kûme, wizze Krist.
swaz aber dir enboten ist
unzühte von mir, sælic man,
dâ bin ich gar unschuldec an:
1475 wand ich dich niht erkante
daz dû von Brâbante
wær eines hôhen fürsten kint.
doch was mîn sin dar an ze blint
daz ich dir êre niht enbar.
1480 ich möhte ân allen zwîvel gar
an dîner tugent hân gespurt
daz dû wære von geburt
edel gar und ûz erkorn.
ez sol belîben âne zorn,
1485 ob ich mich gesûmet hân.
wan ez ist sêre missetân
daz ich dir, hôchgeborniu fruht,
erboten hân ze kleine zuht.'
'Ach herzetrût geselle mîn,
1490 durch got lâz dîne rede sîn'
sprach dô Dieterich zehant.
'mir ist von dir diu zuht bekant
der ich vergezzen nimmer wil.
êren unde liebes vil
1495 bin ich von dir ginnert.

1469 alle mîne gesellen *H*] also mein Geselle.
1471 kûme *H*] kûne.
1473 unzühte – sælic *H*] unzůchtig – seligen.
1474 gar *G*] *f*.
1475 wande – erkante *H*] dann – entkannten. dich *Schr*] *f*.
1478 was *H*] mas.
1479 dir *H*] die.
1481 hân *Schr* (*vorher Müller*)] wol han.
1482 von geburt *H*] von der G.
1485 (mich hie g. *G*). gesûmet *H*] gesinnet.
1486 wan *H*] dann.
1489 herzetrût *H*] Herre dr.
1490 durch got lâz dîne *G*] l. d. g. deine (lâz d. g. die *H*.)
1491 dô Dieterich *H*] D. da.
1494 liebes *H*] leides.

dîn tugent nie geminnert
wart gegen mir als umbe ein hâr:
si wuohs von tage ze tage für wâr
sô vaste und alsô sêre
1500 daz ich nimmer mêre
verschulden kan die wirde
die dû mit reiner girde
mir erboten hâst dâ her.
ach tuo mit vollen des ich ger,
1505 sô hâst dû wol ze mir getân.
lâz alle widerrede stân
und var mit mir, geselle mîn.
und stât alsô der wille dîn
daz dû mit mir niht enverst,
1510 sô wizze daz dû mir ouch werst
die reise gegen Brâbant.
wan solte ich liut unde lant
verliesen unde swaz ich habe,
des wolte ich alles komen abe,
1515 ê dan daz ich enbære dîn.'
'nein' sprach er, 'daz enmac niht sîn.
dû solt ze lande kêren
und warten hôher êren
die dir got hât ûf geleit.
1520 ez wære ein grôziu tumpheit
daz dû sô rîchiu dinc verlürst
und durch gesellescchaft verkürst
ein hôhez herzogentuom.
swâ man sô ganzer wirde ruom
1525 erwerben kan, dâ sol man zuo

1501 die *H*] dein.
1502 girde *H*] begierde.
1504 mit vollen *G*] vollents (bevollen *H*). des ich ger *H*] das ich beger.
1505 ze *H*] bey.
1508 dîn *H*] mein.
1509 daz *H*] vnd.
1510 dû *H*] *f*.
1511 (engegen *Le*).
1512 wan *H*] dann.
1515 ê dan daz (ê daz *H*).
1516 enmac *H*] mag.
1520 grôziu (michel *Schr*).
1522 verkürst *H*] embûrst.
1523 ein hôhez *H*] eins hohen.

beide spât unde fruo
gebâren niht ze trâge.
ein man sol ûf die wâge
lîp unde guot umb êre legen.
1530 dîn bete kan mich niht erwegen
daz ich mit dir von hinnen var.
mîns herren lônes nime ich war
den er mir hât geheizen.
in sînes landes kreizen
1535 wil ich belîben immer.
dar ûz enkome ich nimmer
biz an den freudebæren tac
daz ich ritter werden mac.'
Dâ wider sprach dô Dieterich
1540 'trûtgeselle, ich mache dich
ze ritter, wiltû mit mir hein,
sô rehte wol daz nie dehein
ritter baz gemachet wart.'
'nein' sprach aber Engelhart,
1545 'ich muoz belîben unde sol.
mir tuot der künic alsô wol
und hât sô wol ze mir getân
daz ich gerne wil bestân
in sînem dienste lange frist.
1550 swâ der man mit êren ist
und er von dannen kêret,
wird er dar umbe entêret,
deiswâr daz lît vil ebene.
mirn touc niht baz ze lebene

1527 ze trâge *H*] zu tragen.
1528 wâge *H*] Wagen.
1530 dîn bete *H*] die bitt.
1532 lônes *H*] lohn.
1536 enkome *H*] entkomme.
1538 daz *H*] biß.
1539 dâ wider sprach dô Dieterich *H*] dv Ritter sprach D.
1542 sô rehte *G*] Also.
1544 aber *H*] *f*.
1547 hât *H*] hett.
1550 (wan swâ *G*).
1551 er *H*] *f*.
1553 deiswâr daz lît vil ebene *H*] das ist war das leid v. e.
1554 mirn touc *H*] mir entugent.

1555 nâch mîner mâze danne ich lebe.
swenn ich von solher mâze strebe,
sô tuon ich gar unrehte.
eim ungefriunten knehte
enmöhte baz gewesen niht.
1560 als man gemeiniclichen giht,
sô hœre ich sprechen unde sagen,
ez künne ein übeler niht vertragen
guottæte die der mensche tuo.
dâ sol ich nû gedenken zuo
1565 und sol dâ bilde kiesen bî.
ich wære guoter sinne frî,
ob ich nû disen hof vermite
und ich sô tœrlîche rite
von alsô miltem manne.'
1570 'geselle, sît ich danne
dich niht überwinden kan
daz dû mit mir wellest dan,
sô wil ich gote dich ergeben:
der lâze mich an dir erleben
1575 êren und gelückes vil.
hier under ich dich biten wil,
ob sich diu zît alsô getrage
daz dich dîn muot von hinnen jage,
daz dû mich danne mîdest niht.'
1580 'zewâre' sprach er, 'daz geschiht:
nim des ze pfande mînen eit.'

1555 danne ich lebe *H*] dann eben.
1556 solher mâze strebe *H*] solchen massen streben.
1558 eim ungefriunten *H*] einem ein gefreundten.
1559 enmöhte *H*] da môchte.
1562 ez künne ein übeler *H nach L*] er kůn alls vbel.
1563 guottæte die *J nach B*] Gutthate so (guottât die *H*).
1564 dâ sol – gedenken *H*] da so – gedencke.
1571 (dich des n. *G*).
1574 (geleben *Le*).
1575 êren *H*] Ehre.
1576 hier under ich dich biten *H*] wer vnder euch nicht beiten.
1581 nim des ze pfande *H*] mein Hertz zu pfanden (nim hie ze pfande *J*).

sus bôt er im die sicherheit
daz er in gerne sæhe,
swenn ime daz geschæhe
1585 daz er von dannen wolte varn.
ein ander bâten si bewarn
den süezen got vil reinen.
man sach si heize weinen
umbe ir zweier scheiden.
1590 ez wart dô von in beiden
mit trûren jâmer güebet.
Dieterich betrüebet
für den künic balde gie.
er huop an unde seite wie
1595 nâch im gesendet wære.
ouch klagte er im diu mære
daz sîn vater wære tôt.
und wie sîn muoter im gebôt
daz er ze lande solte komen.
1600 urloup von im wart genomen
von allen die dâ wâren.
die sach man dô gebâren
vil harte klegelîche.
der milte künic rîche
1605 liez in mit hôhen êren
von sînem hove kêren.
er gap im kleider unde pfert.
drî knaben edel unde wert
hiez er bî den zîten
1610 mit im ze lande rîten

1582 sus *H*] so.
1584 ime *G*] *f*.
1586 ein ander bâten si bewarn *H*] an einander sie beyd bwaren.
1588 si *H*] die.
1589 umbe *H*] immer.
1591 mit trûren jâmer güebet *G*] mit j. geůbet (jâmers vil geüebet *H*, michel jâmer güebet *J*).
1597 (daz im sîn *G*).
1601 von allen die *H*] von allen den die (zal den die *Le*)
1603 vil (*Le*, gar *G*) harte klegelîche *G*] gar hart vnd kl. (harte kl. *H*).
1605 (hiez *Le*). hôhen *H*] *f*.
1609 hiez *H*] ließ.

und sande in heim âne alle wer.
betrüebet wart des hoves her
von der heimverte sîn.
der künic und diu künegîn
1615 gâben im ir süezen segen
und bâten sîn vil tiure pflegen
der reinen meide kiuschez barn.
sus kam er wider heim gevarn
schôn unde rîlîche.
1620 dô wart er minneclîche
enpfangen von den sînen.
si liezen wol erschînen
daz er in liep ze herren was.
sîn gelt daz zôch er unde las
1625 gar unde gar in sîne pflege
und lebete sît alle wege
als ein vil hôher fürste wert
der beide lobes und êren gert.
Hie lâzen wir den guoten
1630 und den vil hôchgemuoten
belîben unde sagen wie
sîn trûtgeselle dort begie
daz er ze hôhem lobe kam.
swaz ie den êren wol gezam,
1635 dâ kunde er zuo gefüegen sich.

1611 âne alle wer *Le*] nach seim beger (nâch êren gar *H*, nâch wunsche gar *JG*, nâch siner ger *Wo*).
1612 des hoves her (*Dr.*, *Le Wo*, diu hoveschar *H–G*).
1616 tiure *J*] treuw (schône *H*).
1618 sus *H*] so.
1619 rîlîche *H*] reichlichen do.
1620 dô wart er minneclîche *H*] von menniglichen also. (*Schr will* dô – alsô *des Druckes erhalten.*)
1623 ze *H*] zum.
1624 daz *H*] *f.*
1626 sît *R*] mit (sider *G*, in *H*, *str. J*).
1628 lobes *H*] gutes (*möglicherweise* guotes beide und êren).
1633 ze hôhem lobe *H*] zu hoher Liebe (ze hôher minne *B*).
1634 ie *G*] *f.*

ê dannen kæme Dieterich,
dô diente er sînem herren wol
als ein getriuwer knabe sol:
sô diente er im nû verre baz,
1640 dâ von der künic nie vergaz
ze guote sîn. waz sol des mê?
er was im lieber nû dan ê
dô Dieterich ze hove was
und er si dô ze herzen las
1645 beide samt gemeine.
sô kunde im nû der eine
ze herzen nâher dringen.
swem an zwein lieben dingen
von ungeschihte widervert
1650 daz er des einen wirt verhert,
der minnet ie daz ander mê,
und ist im lieber vil dan ê.
Dar umbe wart ouch Engelhart
alle zît und alle vart
1655 ze hove deste werder.
er was der êren querder
und lobes gar ein angel.
dô man begunde mangel
Dieteriches nemen dâ,
1660 dô wart in Engelhart iesâ
lieber unde trûter.
ir aller sin was lûter
engegen dem vil reinen,

1636 dannen *H*] dann.
1638 knabe *H*] Herre.
1641 des *H*] das.
1645 samt *Le*] sammen.
1646 eine *H*] reine.
1647 nâher *H*] nahe.
1648 swem *H*] wann.
1649 von ungeschihte *Müller*] Das vngesuch (daz von geschihte *H*, daz ungelücke *JG nach B*).
1651 minnet *H*] liebet.
1652 lieber viel *H*] viel lieber.
1653 dar umbe *H*] der wunne.
1659 nemen dâ *H*] Namen do.
1660 in *G*] *f.* iesâ *H*] je fro.
1663 engegen *Le*] Gegen.

zewâre biz an einen,
1665 der neit in hôher êre
sô vaste und alsô sêre
daz er in arges niht erliez.
Ritschier von Engellande er hiez
und was des küneges swestersun.
1670 got herre, nû verwîze dun
der werden liuten sî gehaz!
der selbe enweste rehte waz
sîn herze an dem getriuwen rach.
daz er in dâ ze hove sach,
1675 daz tet im ûzer mâzen wê.
er hæte ouch Dieterichen ê
durch sîne werdekeit geniten.
daz er ze lande was geriten,
dar umbe was er hôchgemuot.
1680 Engelhart, der knabe guot,
erkante wol daz er in neit.
doch sweic er allez unde leit
gedulteclichen sînen zorn.
sîn herze rein und ûz erkorn
1685 dar umbe was niht ungemuot.
er tete alsam der wîse tuot
der smæhen haz vil gerne treit
durch vollekomene werdekeit.
vil senften haz er lîdet,

1664 zewâre *Schr*] das ist, war (deiswâr *H*, niuwan *Müller*). (an den e. *G*).
1665 der neit in hôher êre *G*] der Magd sein hohen Ehren (der neit in durch sîn êre *H*).
1670 got herre, nû verwîze dun *G*] herre got nun verweise jn du (herre got, nû wîze dun *H*).
1671 liuten *H*] Leute.
1673 rach *H*] Raht.
1674 dâ *J nach B*] *f.*
1675 ûzer *H*] auß der.
1682 allez *H*] alleweg.
1684 und *H*] *f.*
1685 dar umbe was *H*] was darumb.
1686 alsam *H*] als.
1688 vollekomene *G*] vollkommene.
1689 (v. sanfte haz der l. *Le*).

1690 swen man der êren nîdet.
Daz kunde er wol betrahten,
und wolte dar ûf ahten
lützel oder selten iht
daz im der tugentlôse wiht
1695 vil argen willen tete schîn.
Engeltrût, diu frouwe vîn,
diu minnet aber in her wider
sô vaste daz ir muot dâ nider
an allen freuden muoste ligen.
1700 ir herze was dâ hin gedigen
dâ von ez nimmmer mohte komen.
diu Minne hæte alrêrst genomen
gar endelîche an ir den sic.
dô Dieteriches aneblic
1705 ze hove si niht irte mê,
dô wart ir nœter vil dan ê
nâch Engelhartes minne.
swie gar diu schœne ir sinne
von Dieterîche næme
1710 ê er von dannen kæme,
sô was doch under stunden
ir muot mit ime gebunden,
swenne ir ouge an im erlas
daz er gelîch ir trûte was.
1715 Daz allez was nû gar dâ hin.

1690 swen *H*] wann.
1692 lützel *Schr*] wênic.
1695 vil argen willen tete *Schr*] Thet viel argen willen.
1696 vîn *J*] sein (sîn *H*).
1697 minnete *H*] liebt.
1700 gedigen *H nach L*] gesiegen.
1701 ez *H*] ir.
1702 Minne hæte alrêrst *H*] Lieb hat aller erst.
1703 gar (vil *Le*) endelîche an ir *G*] endt. jr gar (end. an ir *H*).
1705 si *H*] *f*.
1706 dô wart ir nœter vil dan ê *H*] da w. jn dann viel ehe.
1707 minne *H*] lieben.
1708 swie – ir sinne *H*] wie – mit vben.
1710 ê er *H*] Eh dann er.
1711 under *H*] sonder.
1713 erlas *H*] erlasch.
1714 daz *H*] da.
1715 nû *H*] jm.

ir muot, ir leben unde ir sin
an Engelharte lâgen.
ir friunden unde ir mâgen,
ir vater unde ir muoter,
1720 was ir lîp vil guoter
niht sô rehte holt als ime.
an ir triuwen ich vernime
daz in diu reine guote
mit engelischem muote
1725 als minneclichen meinde
daz ir herze weinde
nâch sîner minne tougen.
si entorste mit den ougen
erzeigen niht den smerzen
1730 den si truoc ze herzen
von Engelhartes schulden.
si kunde jâmer dulden
verholne zuo dem mâle.
dâ von sô wart ir quâle
1735 deste grœzer alle zît.
ein fiur, swâ daz verborgen lît
tougenlichen etewâ,
daz brinnet schedelicher dâ
dan ob ez offen würde.
1740 als tuot der minne bürde
die man verborgenlichen treit.
swâ trûren unde sendez leit
verholne sint enbrunnen,

1718 friunden *H*] Freund.
1722 an ir triuwen *G*] An jrer treuw (von ir tr. *H*).
1724 englischem *Le*] Engelhartes (endehaftem *H*).
1725 minneclichen meinde *Le*] menniglichen mynende (innecl. meinde *H*).
1726 weinde *H*] weinende.
1727 minne *H*] Liebe.
1728 si entorste *H*] sie durstig.
1729 niht den *H*] mit dem.
1733 verholne *H*] verholen.
1736 ein fiur *H*] ir fůr.
1737 tougenlichen *Schr*] Heimelichen.
1740 als – minne *H*] also – Lieben.
1742 sendez *H*] sehnliches.
1743 sint enbrunnen *H*] seyn on br.

dâ wirt diu nôt gewunnen
1745 diu verre wirs dem herzen tuot
und vaster dringet in den muot
dan offenlichez ungemach.
dâ von der schœnen wirs geschach
von tougenlicher swaere
1750 dan ob diu minnebære
ir jâmer goffent hæte.
nû daz diu reine stæte
und diu vil sælige Engeltrût
het Engelharten alsô trût,
1755 dô wart ir pîn gemêret
und ir leit verkêret
in strenger unde in grœzer nôt.
ir muoter lac ir leider tôt,
diu tugenthafte künegîn.
1760 des wart ir jâmer unde ir pîn
deste grimmer aber dô.
doch wart sie leidec unde frô
von ir tôde beide.
mit liebe und ouch mit leide
1765 diu schœne wart gebunden
an den selben stunden
dô man ir muoter sterben sach.
wâ von diz aber dô geschach
daz diu guote fröute sich,
1770 des wil ich baz bescheiden dich.
si gedâhte alsô stille

1744 wirt *H*] ward.
1745 verre wirs *H*] verweiß.
1746 dringet in den *H*] bringet einen.
1748 wirs *H*] weh.
1749 tougenlicher *Schr*] heimelicher.
1750 minnebære *H*] Liebenbere.
1751 ir jâmer goffent *G*] ir leid geöffnet (ir tougen goffent *Schr*).
1754 het *H*] mit so.
1756 (und al ir *G*).
1764 liebe – leide *H*] leide – freuden.
1768 diz aber dô *G*] diß (aber diz *H*).
1769 freute *H*] Frauwe.
1771 (si dâhte alsô st. *H*, *schlägt vor* si gedâhte st.; si dâhte ir a. st. *J nach B*, si gedâhte a. vil st. *G*)

ʿder minne gernde wille
den ich ze disem manne trage,
wirt verdecket mit der klage
1775 der ich nâch mîner muoter pflige.
ob ich durch minne trûric lige,
so enzîhet mich sîn niemen doch.
wan mîn vater wænet noch
daz ich dulde klagende nôt
1780 durch daz mîn muoter liget tôt
die man nû leider hât begraben.
mîn herzelichez ungehaben
daz ich verborgenlichen dol,
daz wirt nû mit gelimpfe wol
1785 beweinet offenlîche.ʾ
sus vant diu sælden rîche
in ir herzen einen funt
der si machte bî der stunt
ein lützel unde ein wênic frô.
1790 doch stuont ir wünne und freude alsô
daz si niht grundes hæte.
ir wünne was niht stæte,
die si truoc zir sinne:
wan si des mannes minne
1795 und der küneginne tôt
undersneit mit sender nôt:
daz fröudelîn vil kleine
daz diu maget reine

1772 minne *H*] Liebe.
1775 nâch *H*] noch.
1776 minne *H*] Lieb.
1777 so enzîhet *H*] so entzeuht.
1778 wænet *H*] weinet.
1780 durch daz mîn muoter liget tôt *J nach B*] durch m. M. lige t. (durch mîner lieben muoter tôt *H*).
1782 (missehaben *Le*).
1784 nû *H*] mir.
1785 beweinet(geweinet *B*).
1786 sælden *H*] glückliche.
1790 ir (dâ *J*).
1791 hæte *H*] enthette.
1793 zir *Le*] zur (ze *H*). sinne *H*] vbe.
1794 minne *H*] Liebe.
1796 undersneit – sender *H*] vnderscheid – sehender.
1797 fröudelîn vil kleine *H*] Freuwelein v. reine.

het in ir herze dâ gezogen,
1800 daz was sô balde dan geflogen
als ez gevidert wære,
und wart ir klagendiu swære
sô rehte grôz von tage ze tage
daz man ir weinen unde ir klage
1805 an ir antlitze kôs.
ir liehte schœne si verlôs
und wart unmâzen riuwevar.
und dô es der künic wart gewar,
dô was er in dem wâne
1810 daz diu vil wol getâne
nâch ir müeterlîne
trüege dise pîne.
Dar umbe er zuo der schœnen sprach
'tohter mîn, diz ungemach
1815 solt dû fürbaz mîden.
wir alle müezen lîden
swaz got gebiutet über uns.
der tôt des vater noch des suns
schônet noch der muoter.
1820 als übeler noch sô guoter
niemen lebet ûf erden,
ern müeze funden werden
ze leste jæmerlichen tôt.
dar umbe sol nû disiu nôt

1799 het in ir herze dâ gezogen *G*] hett in jrm Hertzen gez. (in ir herze het gezogen *H*).
1800 was sô balde dan geflogen *H*] kam so bald geflogen.
1801 ez *H*] er.
1804 unde ir klage *H*] vnd kl.
1805 ir antlitze kôs *H*] jrem Antlitz bloß.
1810 wol *H*] *f*.
1811 nâch *H*] noch.
1814 diz *J*] das (daz *H*, *in Anm.* diz).
1818 noch *H nach L*] vnd.
1820 übeler *H*] vbel (übel *Schr*).
1822 ern müeze *H*] er entmüßte.
1824 nû disiu *G*] vns diese (uns disiu *H*, ouch dîniu *J nach B*).

1825 um die vil lieben muoter dîn
ein wênic deste ringer sîn,
wan ez niht anders mac gewesen.
möhte si dâ von genesen
daz man si vaste weinde,
1830 vil klage ich danne erscheinde
und würde ouch um si leides vol.
mîn liebez kint, tuo rehte wol
unde enrieze niht sô vil:
wand ich gerne leisten wil
1835 allen dînen willen.
möhte ich wol gestillen
dîn klegelichez herzeleit,
dâ wære ich gerne zuo bereit.
iedoch sol ichz versuochen.
1840 ob dû sîn wilt geruochen,
sô lâz dîn herze in freuden leben.
ich wil dir Engelharten geben
zeinem kamerære.
der kan dir alle swære
1845 mit freuden gar vertrîben.
lesen unde schrîben,
harpfen unde singen,
tanzen unde springen,
kan er ûzer mâzen wol.
1850 dâ mite er alle stunde sol
kurzewîle machen dir.
er pflege dîn: sô tuot er mir
ûzer mâzen liebe nû.'
'vater mîn, daz füege dû'
1855 sprach diu liutsælecliche dô.

1825 lieben *H*] *f.*
1827 ez *H*] er. mac *J nach B*] *f.* (mohte wesen *H*).
1831 erscheinde *H*] jr scheinde.
1832 tuo *H*] so.
1833 unde enrieze *Le*] vnd in diesere (u. entrûre *H*).
1839 iedoch sol ichz *H*] ehe doch s. ich es.
1841 sô *H*] *f.*
1846 lesen *H*] teutsch lesen (tensch l. *Schr*). uzer *H*] auß der; *ebenso* 1853.
1855 liutsælecliche *G*] holdseligliche (liutsælige *H nach L*).

'er machet mich vil lîhte frô
mit sîner höveschen fuoge.'
hie mite wart der kluoge
und der hovebære
1860 zeinem kamerære
der frouwen dô geschicket.
des wart ir herze entstricket
ein wênic von beswærde.
iedoch was ir gebærde
1865 niender als si wære frô
daz er ir solte pflegen dô.
Mit hazze man gelîchset
swâ Minne tougen rîchset.
daz selbe tet ouch Engeltrût.
1870 si neit den knaben über lût
und minnete in vil tougen.
si kêrte ab ime ir ougen
swenn ez diu liute sâhen,
und liez ir herze vâhen
1875 verholne sîne minne.
doch wâren sîne sinne
an der schœnen gar betrogen.
der jungelinc vil wol gezogen
niht weste dirre mære.
1880 er wart ir kamerære
und machte ir kurzewîle gnuoc,
biz sich diu zît alsô getruoc
daz er an ir begunde spehen,

1856 vil lîhte frô *H*] gar leicht vnd fro.
1858 hie mite *B*] die Magd (dâ mite *H*). 1859 hovebære *H*] hoffenbere.
1862 entstricket *H*] erstricket.
1863 ein wênic *H*] entwenig.
1865 niender *H nach L*] nimmer.
1866 ir *H*] *f*.
1867 gelîchset *H*] gelischet.
1868 swâ Minne tougen rîchset *H*] wo Liebe heimlich rischet.
1870 neit (meit *Le*).
1871 minnete *H*] liebte.
1872 ab ime *H*] von im.
1875 minne *H*] Liebe.
1877 schœnen *H*] schône.
1878 jungelinc *H*] mißling.

swenn ez diu state liez geschehen,
1885 daz ir ein wörtelîn enpflôch
daz wol ze hôher minne zôch,
diu tiefe in deme herzen lît.
'zewâre' sprach si zeiner zît
da ez niemen hôrte wan si zwei,
1890 'ich wolte geben drumbe ein ei
daz ich erkante dînen muot,
ob dû doch wærest alsô guot
sô gar liutsælic als dû bist.'
daz wort begunde er zuo der frist
1895 merken ûf ir hôhe gunst.
in lêrte sînes herzen kunst
daz er dâ solte kiesen bî
daz si niht wære minne frî
in ir muote wider in.
1900 dar umbe sô begunde er hin
an die schœnen blicken.
ir rede begunde schicken,
als mir diu wâre schulde jach,
daz sich der jungelinc ersach
1905 in ir spilnden ougen.
nû daz dar inne tougen
diu Minne ir wunder machete
und in her wider lachete
sô rehte lieplichen an
1910 als ob si spræche 'disem man
wil ich durch sîn herze sehen',

1886 minne *H*] Liebe.
1887 tiefe in deme (tougen in dem *Schr*).
1889 da ez *H*] daß.
1890 geben drumbe *Le*] darumb geben (drumbe geben *H*).
1891 daz *H*] da.
1893 als *H*] *f*.
1895 merken (*Spr*, ziehen *H*).
1898 mînne frî *H*] Lieben frey.
1900 dar umbe sô *J nach B*] dar vmbe (dar umb *H*).
1905 spilnden *H*] spiegelten.
1906 daz dar inne *H*] da ime.
1907 Minne *H*] Liebe.
1908 lachete *H*] lachende.
1910 disem *H*] diesen.

hie mite was ouch im geschehen
daz ime geschehen solte.
swaz diu Minne wolte,
1915 daz wart an im erfüllet.
mit minne al umbetüllet
wart gegen ir daz herze sîn.
in warf daz kleine wörtelîn
in der süezen Minnen stric.
1920 ouch schuof der lieplîche ougen blic
der nâch der guoten rede gie
daz ime wart gegeben hie
sô tief ein minnen wunde
daz si verheilen kunde
1925 kein salbe noch kein weizel.
der vogel ûf dem reizel
mit süezer stimme wirt betrogen.
sus het in Minne dô gezogen
mit süezen worten in ir kloben.
1930 des wart sîn muot vil mêr gestroben
dan ich gesagen künne.
man seit daz si gewünne
nie sô grôzen smerzen,

1914 (wan sw. *G*). swaz diu Minne *H*] was die minnigliche.
1916 minne *H*] liebe.
1918 wörtelîn *H*] wůrtzelein.
1919 Minnen stric *H*] Liebenstrick.
1923 minnen wunde *H*] Liebenwunde.
1924 verheilen *H*] verhehlen.
1925 weizel *H*] wetzel.
1926 dem reizel *H*] dem Fetzel (den r. *J nach B*).
1927 betrogen *H* (getrogen *J nach B*; *B hält für möglich* ûf dem reizel – betrogen).
1928 sus – Minne *H*] so – Liebe.
1929f. mit süezen worten in ir kloben. des wart sîn muot vil mêr gestroben *Spr ZfdPh 36 472*] Mit Worten in Ehren leben / Desz ward sein not viel streben (*ZfdA 36 161 hatte Spr für* 1930 *vorgeschlagen* des w. s. muot vil sterker toben; mit worten in ir kerker (*von H als Notbehelf angesehen*!). des wart sîn nôt vil sterker *H–G*).

ern trüege in sînem herzen
1935 wol zwirent alsô grimmen.
sîn muot begunde swimmen
in trûren unde in manic leit.
nâch senelicher arebeit
sîn herze was gebildet
1940 und gienc er gar verwildet
in der sorgen forste.
wand er nie getorste
klagen ir sîn angest,
sô truoc er aller langest
1945 trûren unde sende klage.
er dienete ir eht alle tage
ze tische und ouch ze bette
alsô daz er gerette
nie kein wort engegen ir
1950 nâch sînes muotes herzen gir.
Er dâhte, ob er gewüege
daz er durch si ertrüege
leit unde grôzez ungemach,
er diuhte si eht sîn ze swach
1955 und dar zuo lîhte gar ze nider.
sô gedâhte si her wider,
ez wære ein schemelîchez dinc,
obs an den werden jungelinc
ze liehte ir minne bræhte

1934 ern trüege *H*] er ertrûg.
1935 zwirent *H*] zweymal.
1938 nâch *H*] noch.
1940 gienc er gar *G*] gnug vnd gar (gar und gar *H*, gnuoge gar *J*).
1941 forste *H*] froste.
1945 sende *H*] sehnigliche.
1946 eht (et *H*)] *f*.
1949 engegen *H*] gegen.
1950 muotes herzen gir *H*] Munds H. begier.
1951 gewüege *H*] genûge.
1952 (ge- *od.* vertrüege *Le*).
1953 grôzez (michel *Schr*).
1954 si eht sîn *G*] sich seyn (sicher si *H*, si iht sîn *J*, sich gein ir *Spr*).
1955 und (unde *H*). dar zuo *G*] *f*. gar (vil *Le*).
1957 schemelîchez *Schr*] smæhelichez.
1958 an *J*] *f*. (si *H*).
1959 ze liehte ir minne bræhte *J*] ir liehtes Lieben brechte (ir minne [minnen *B*] innen br. *H*).

1960 und im des zuo gedæhte
daz er sô nâhe ir herzen lac.
sus wart ir trûren manegen tac
verswigen unde ir beider nôt.
si wâren beide an freuden tôt
1965 und lebten kumberlichen dô.
nû kam ez zeiner zît alsô
daz er solte snîden
der klâren und der blîden
über tische, sô man saget.
1970 er kniete für die schœnen maget
und diente ir nâch gewonheit.
nû daz er iezuo alsô sneit,
dô dâhte er an ir minne
sô verre in sînem sinne
1975 daz er sîn selbes dô vergaz
unde er niht enweste waz
er solte schaffen unde tuon.
er liez alsam ein toubez huon
daz mezzer vallen von der hant.
1980 daz im von minne niht geswant,
daz was ein grôzez wunder.
iedoch wart im hier under
sîn varwe sô verwandelt
und alsô missehandelt
1985 daz sîn diu schœne wart gewar,
daz im von rehter minne gar
diz dinc geschehen wære.
diu süeze sældenbære

1962 sus wart *H*] so werte.
1967 snîden *H*] dienen.
1968 blîden *H*] blinen.
1969 über tische *H*] vber einem T.
1972 daz *H*] da.
1973 dô dâhte er an ir minne *H*] er gedacht an jre Liebe.
1978 alsam *H*] als.
1980 minne *H*] Liebe.
1981 grôzez (michel *Schr*).
1982 im *J nach B*] *f*.
1985ff. gewar, – wære. *J nach Wa* (gewar. – wære, *H*).
1986 minne *H*] liebe.
1988 sældenbære *H*] glůcklich gebere.

begunde aleine merken daz,
1990 wan si gegen im kûme saz,
sô balde und alsô dicke
ir spilende ougen blicke
enflügen ûf in alzehant.
dar umbe si den pîn ervant
1995 der in von sîner freude schiet.
ir reinez herze ir dô geriet
daz si vil stille sweic dâ zuo,
biz an einen morgen fruo
daz si vereinet wâren.
2000 dô sprach si zuo dem klâren
suoz unde minneclîche alsô.
'Engelhart, wie was dir dô
oder aber wes bedûhte dich
dô sô rehte vaste sich
2005 diu varwe dîn verkêrte?'
'frouwe' sprach der gêrte,
'ich enweiz wenn oder wâ.'
'ich meine' sprach diu schœne sâ,
'dô dû mir soltest snîden.
2010 waz dû dô kundest lîden,
daz weste ich gerne sunder spot.'
'mirn war niht, frouwe, sam mir got'

1989 begunde *J nach B*] began. daz *H*] diß.
1990 wan si gegen im kûme saz *H nach L*] wan si gehet, jm kåme biß (wan si g'ahte, im kæme baz *J nach Wa*).
1993 enflügen *H nach L*] empflogen.
1994f. (der umbe si der pîne emphant, diu in *L, zit. bei Le*).
1995 freude *H*] Frauwen.
1997 vil *G*] gar.
2001 suoze u. minneclîche *H*] so, v. lieblichen.
2002 (E., waz war dir dô *Le*).
2003 oder aber *G*] oder. wes *H*] was.
2005 diu varwe dîn verkêrte *H*] die Frauw dein Gesicht verkehrt.
2006 der gêrte *H*] der verwirte.
2007 ich enweiz *H*] ich entweiß nicht.
2008 sâ *H*] do.
2012 mirn war niht, frouwe, sam mir got *H*] mir entward nie Frauw, helff mir G.

sprach der junge dô mit schamen.
'zewâre ez tete dir benamen
2015 etewaz: ich sach ez wol.'
'frouwe' sprach er, 'ich ensol
noch getar iu sagen niht
von den sachen ihtes iht
dâ von ich sô beswæret wart.'
2020 'ich wil ez wizzen, Engelhart,
sô rehte liep als dû mir bist.'
'vil reiniu fruht, sît es enist
nû deheiner slahte rât,
ichn entslieze iu die getât,
2025 sô künde ich iu mit hulden
waz ich dô kunde dulden
jâmers unde smerzen.
ich was in mînem herzen
verdâht ûf iuwer minne alsô
2030 daz ich von rehter minne dô
vernunst und sinne gar verlôs.
wan sît ich, edel frouwe, erkôs
zem êrsten iuch, sô bin ich wunt
vil gar biz ûf der sêle grunt
2035 umb iuwer reine minne guot.
ir hât mir leben unde muot
beswæret nû vil lange zît.
mîn herze umb iuwer sælde lît

2013 sprach der junge dô mit schamen *J*] spr. er do m. sch. (spr.er dô mit grôzen sch. *H*).
2017 (entar *Le*).
2018 ihtes iht *H*] nichts icht.
2019 sô *H*] also.
2021 sô rehte liep als *G*] also l. als. mir *J nach Wa*] *f*. (dir *H*).
2022 es (des *Le*).
2023 nû deheiner *H*] dann keiner.
2024 ichn *J*] ich (*H*, *in anm.* ichn).
2029. 2030 minne *H*] liebe.
2031 *im druck nach* 2032.
2031 gar *H*] ich.
2032 ich *H*] ich euch.
2033 zem êrsten iuch *H*] auch von ersten.
2034 biz *G*] *f*. (unz *H*).
2035 minne *H*] Liebe.
2038 sælde *H*] Seele.

in senden nœten manicvalt
2040 noch wart dar under nie sô balt
daz ich iu getorste klagen
waz ich jâmers hân getragen
durch iuch, vil tugenthêre.
mîn schame und iuwer êre
2045 machten mich sô gar verzaget
daz iu mîn leit niht wart geklaget
daz ich sô jæmerlichen dol.
ouch weste ich unde erkante wol
daz ich mîn arebeit verlür
2050 und ez mich kleine trüege für,
klagt ich iu mîne swære,
wan ich niht wirdic wære
daz mîner sorgen bürde
von iu gelîhtert würde.
2055 Frouwe, ir sît ein künegîn:
sô muoz ich iuwer dienest sîn
alsam ein eigenlicher kneht.
dâ von sô dûhte mich daz reht
daz ich niht iuwer solte gern.
2060 wan daz irs woltet niht enbern,
ichn entslüzze iu mîne nôt,
sô wære iuch biz an mînen tôt
mîn strengez ungemach verswigen,

2039 senden *H*] sehnlichen.
2039f. manicvalt noch wart *J nach B* (manicvalt. ich wart *H*).
2041 getorste *H*] gedurfſte.
2046 niht *H*] *f.*
2053 daz mîner *H*] daß ich m.
2054 gelîhtert *H*] geleitet. (ein teil geringet würde *Schr AfdA 38 171 nach Greg. 40*).
2055 Frouwe, ir sît ein künegîn *J*] jr s. ein k. (ir sît ein hêriu k. *H*).
2056 iuwer dienest *H*] in euwerm d.
2057 alsam *G*] als. eigenlicher] iegelicher (*H*, tegelicher *Schr*).
2059 gern *H*] begern.
2060f. irs woltet niht enbern, ichn (*Jos. hat* ich) entslüzze *J nach B*] er sein nicht wolt emb. ich entschließe (ir sîn niht welt enb., ich [*anm.* ichn] entslieze *H*).

wan im von rehte wirt verzigen,
2065 swer alze hôhe meinen wil.
jâmers unde leides vil
muoz ich von wâren schulden
lîden unde dulden
sît daz ich nâch dem dinge
2070 in mînem herzen ringe
daz mir doch nimmer werden kan.
ich sender freudelôser man
bin niht sô reiner sælden wert
als mîn vil tumbez herze gert.'
2075 Dâ wider sprach diu schœne dô
'swer mit êren hât alsô
geblüemet sîne reine jugent
daz er bekennet ganze tugent,
dem ist gemæze ein keiserîn.
2080 iedoch ensoltest dû niht mîn
noch mîner hôhen minne gern.
dû möhtest harte wol enbern
alsus getâner dinge
dâ grôziu misselinge
2085 an êren mir geschæhe von.
der rede bin ich ungewon
die du mit mir trîbest nû.
Engelhart, und wellest dû
daz ich dir günstic sî als ê,
2090 sô rede niht der dinge mê
diu müezen mir sô nâhe gân.
dir hât mîn vater sô getân

2064 im – verzigen *H*] jn – versiegen.
2065 alze *G*] zu. meinen *G*] meiden (minnen *H*).
2070 ringe *H*] dringe.
2072 ich sender *H*] ach sehnlicher.
2073 sælden *Le*] sachen.
2074 gert *H*] begert.
2075 dâ wider *H*] darumb.
2076 (mit den ê. *G*).
2079 gemæze *H*] gemessen.
2081 minne *H*] Liebe.
2083 alsus *G*] Sonst (sus *H*).
2084 grôziu (michel *Schr*).
2088 wellest *H*] woltest.
2090 der *H*] *f*.
2091 diu müezen mir sô nâhe gân (diu mir sô nâhe m. g. *H*).
2092 hât *H*] hett.

daz dû mich gerne soltest
erlâzen, ob dû woltest
2095 sô schemelicher mære.'
'ach frouwe sældenbære'
sprach Engelhart dô leides vol,
'ich hæte es iuch erlâzen wol,
wan daz mich minne dar zuo twanc
2100 daz ich iu sunder mînen danc
ein wênic seite mîner nôt.
ich weste ez alse mînen tôt
daz ich unrehte warp hier an
daz ich den willen ie gewan
2105 der ûf iuwer minne stuont.
swaz aber ir dar umbe tuont,
sô muoz ich sîn der eine
der iuch, frouwe reine,
von herzen immer triutet.
2110 swaz iuwer munt verbiutet
und iuwer edel zunge mir,
vil harte gerne ich daz verbir
alle zît und alle tage.
mit swelher nôt ich si verdage,
2115 ich wil geswîgen mîner bete
und für der süezen wunne mete
der sorgen ezzich trinken.
ich muoz sô gar versinken
in des leides wâge

2094 erlâzen *J nach Wa*] erlôsen.
2095 schemelicher *Schr*] smaehelicher
2099 minne dar zuo *G*] liebende (diu Minne *H*).
2101 seite *H*] sage.
2103 hier an *H*] heran.
2105 der ûf iuwer minne *H*] darauff euwere Liebe.
2106 (ir mir dar u. *JG nach B*).
2107 sîn der eine *H*] sunder reine.
2108 reine *H*] neuwe.
2109 triutet *H*] deutet.
2110 verbiutet *H*] embeutet.
2114 verdage *H*] vertrag (ich ez [*ZfdPh 36* sîn] vertrage *Spr*).
2115 bete *H*] bitt.
2116 der ... mete *H*] deß ... mit.

2120 daz ich deheine frâge
gewinne zuo der freuden stade.
ê daz iuch aber nû mîn schade
sô gar verswigen werde,
sô wizzet daz ûf erde
2125 niemen grimmer nôt gewan
dan ich vil herzesiecher man
umb iuwer reine minne dol.
ich weiz ân allen zwîvel wol,
ob ich verswîge iuch mîne nôt,
2130 ez wirt mîn endelicher tôt.'
'Entriuwen, ez enruochet mich'
sprach diu maget wünneclich,
'swaz aber drumbe dir geschiht.
fürbaz wil ich hœren niht
2135 der rede ein kleinez wörtelîn.'
'nû, frouwe, süeziu künigîn,
sô wil ich si vermîden gar.'
hie mite gienc er riuwevar
von der schœnen meide.
2140 daz marterlîche getreide
daz man dâ heizet trûren,
daz kunde er tiefe mûren

2120 deheine *H*] heimlich.
2121 freuden *H*] Frauwen
2122 ê daz iuch aber nû *G*] ehe daß ich aber (ê daz aber iuch *H*).
2123 werde *H*] werden.
2124 erde *H*] Erden.
2125 niemen grimmer *H*] niemand grimmiger.
2126 dan ich vil herzesiecher *Le*] Als ich viel hertzseliger (d. i. v. unsæliger *H, evt.* ... hartsæliger *Le*).
2127 minne *H*] Liebe.
2129 verswîge iuch *G*] euch verschweig (verswîge *H*, verswîge iu *J*).
2130 wirt *H*] wûrd.
2131 entriuwen, ez enruochet *H*] an tr. ich entruche.
2132 wünneclich (minneclich *H*).
2133 swaz aber drumbe *G*] Was darumb.
2138 hie mite *B*] die Magdte (dâ mite *H*). gienc er riuwevar *H*] gienge ruwig fahr.
2140 daz marterlîche (*L*) getreide *H*] das mehr theil ehrlich gekrede.
2142 daz kunde er tiefe mûren *H*] das man tieffe kan m.

in sînes edeln herzen grunt.
uns tuot dis âventiure kunt
2145 daz er dô leides wart gewon,
wan er verzaget was dâ von
daz in diu liebe swîgen bat.
im wart an hôher wunne mat
dâ von gesprochen, sô man giht.
2150 iedoch was ez ir ernest niht,
daz wizzet algemeine.
wan daz sich diu vil reine
der êrsten bete muoste schamen,
si enhæte in anders niht benamen
2155 mit rede alsô gesweiget dô.
si was vil herzeclîche frô
daz er si meinen wolte.
doch tetes als si solte
und hæte die gebærde
2160 als ob ir grôz beswærde
ûf stüende von der bete sîn.
ez wart an ir der site schîn
den manic frouwe trîben kan,
diu noch verzîhet einem man
2165 den si von herzen meinet doch.
Engelhart enweste noch
ir willen unde ir muotes niht.
dar umbe er kleine zuoversiht
ûf ir süeze minne truoc.

2144 tuot dis âventiure *H*] thun diese trawrigkeit.
2150 ernest *H*] erste.
2151 algemeine *H*] alle g.
2152 wan daz sich diu vil reine *Schr*] wann dieweil das sich d. r. (wan daz sich diu r. *H*).
2154 niht *H*] *f*.
2155 rede *H*] reden.
2158 tetes als si *H*] thet sie was sie.
2160 als ob *G*] Also (als *H*, reht als *Schr*).
2161 ûf stüende *H*] auff stund (ûf stuonde *J Anm.*). von der bete sîn *H*] von der beyder sinn.
2164 diu *H*] den.
2167 ir willen unde ir muotes *H nach L*] irs Hertzen willen vnd muhts.
2168 kleine *Le*] keine.
2169 minne *H*] Liebe.

2170 kumberlicher swære gnuoc
leit er alle stunde.
der junge minnewunde
wart an freuden alsô kranc
daz im ezzen unde tranc
2175 begunde leiden und daz leben.
mit bleiche wart im underweben
sîn rôsenblüendiu varwe
genzlîchen und vil garwe.
Sus wart er sîch unfröuwende
2180 und gienc von jâmer töuwende
daz in diu Minne dar zuo twanc
daz er sunder sînen danc
tôtsiecher an sîn bette viel
und in sô grimmer nœte wiel
2185 daz alle die des jâhen
die sîn antlitze sâhen,
er wære ân allen zwîvel tôt.
iedoch an aller dirre nôt
vergaz er nie der frouwen sîn.
2190 ‘ach hêriu süeziu künegîn’
sprach er dicke dô mit klage,
‘sol niht mîn sender lebetage
mit freuden sich verenden,
wie muoz ich tougen swenden
2195 sô jæmerlichen mîniu jâr!
ich hân gedienet offenbâr

2170 kumberlicher *H*] kůmmerlichen.
2172 junge minnewunde *H*] jnnigklichen Liebwunde.
2176 underweben *H*] wider geben.
2178 genzlichen und vil garwe *G*] gentzlich vnd gar darbe (g. und begarwe *H*).
2179 unfröuwende *H*] entfreuwende.
2180 töuwende *H*] schwende.
2181 Minne *H*] Liebe.
2185 des *H*] das.
2186 die *H*] vnd.
2190 hêriu siuziu *G*] Herre sůsse (hêre süeze *H*).
2192 sender *H*] sehnelich.
2194 tougen *H*] heimlich.
2195 mîniu jâr *H*] mein thor.
2196 offenbâr *H*] offenbor.

sunder lôn und âne danc.
nâch der ich ie von grunde ranc
mit herzen und mit sinne,
2200 diu gibet mir ze minne
niht anders wan ein sterben.
sol ich den tôt erwerben
mit trûren, daz erbarme got.
ich solte baz ân allen spot
2205 geniezen mîner stæte.
ir süeze minneræte
und ir vil guote gebærde
hânt mich in beswærde
gereizet und gelocket.
2210 daz brôt ist mir gebrocket
gelîche als einem huone:
daz stât in valscher suone
und wirt gestôzen an den spiz.
in kurzer stunt bewæret diz
2215 der Tôt und ich, wir zwêne.
si tuot als diu Sirêne
der stimme ist alsô schœne
daz si mit ir gedœne
an sich die kiele ziuhet
2220 und si dan under diuhet
mit liute und mit getreide.
der wilden meremeide
mîn frouwe sich gelîchet wol.

2199 sinne *H*] sinnen.
2200 diu gibet mir ze minne *H*] die gebiet mir zu lieben.
2206 süeze minneræte *H*] sůssen Liebe Rede.
2211 gelîche als einem huone *H*] gleich als fůr einem Hune.
2212 stât in valscher suone *H*] thet ein falscher Sone.
2213 den spiz *H*] ein Spieß.
2216 Sîrêne *H*] Sarene.
2217 ist *H*] *f*.
2219 an sich die kiele ziuhet *G*] die kåle an sich zeuhet (d. k. a. s. ziuhet *H*, d. k. a. s. geziuhet *Jnach B)*.
2220 under diuhet *H*] vnderdreuhet.
2221 mit liute und mit getreide *H*] mit lauter vnd mit gerade.
2222 meremeide *H*] måre Magde.

ir rede süezekeite vol
2225 und ir schœner worte grif
hât under mînes herzen schif
gezogen und gesenket.
in leides wâge ertrenket
hât si gar die sinne mîn.
2230 wan ir enpfuor ein wörtelîn
unde ein spilender ougen blic
dâ von ich in der Minnen stric
alsô krefteclichen viel
daz mînes wunden herzen kiel
2235 muoz in des tôdes ünden sweben,
ob mich in hôher wunne leben
ir helfe niht wil leiten
ûz senden arebeiten.'
Die rede treip er allen tac,
2240 swenn er alsô vereinet lac
daz niemen hôrte sîne klage.
der strengen minne siechtage
macht in sô tœtlichgevar
daz al diu werde hoveschar
2245 betrüebet um in sêre wart.
si sprach 'vil lieber Engelhart,
got klage daz dîn werdiu jugent
und dîn keiserlîchiu tugent
den hof niht langer zieren sol.'

2224 süezekeite *H*] sûsse beyde.
2225 ir *H*] *f.* (ir vil *G*).
2226 hât *H*] hette.
2229 hât *H*] hett.
2231 ein spielender ougen blic *H*] In sp. Augen bleich.
2232 Minnen stric *H*] Liebe streich.
2233 alsô (*besser* sô rehte *G*).
2234 wunden herzen kiel *H*] wunnen H. ziel.
2235 muoz in des tôdes ünden sweben *H*] muß in deß todes vndenschweben.
2236 mich *H*] ich.
2237 leiten *H*] leiden.
2238 senden arebeiten *H*] sehnlicher arbeiten.
2239 allen *H*] alle.
2241 hôrte sîne *H*] verhôrt sein.
2242 minne *H*] Liebe.
2245 (sêre umbe in betrüebet wart *Le*).

2250 ez wurden umbe in leides vol
ritter, knaben unde wîp.
swaz aber umbe sînen lîp
iemen leides dô gepflac,
vil lîhte man daz allez wac
2255 biz an daz leit daz Engeltrût
tougenliche und über lût
durch in truoc ze herzen.
si klagete sînen smerzen,
si weinte in gar von grunde
2260 mit ougen und mit munde,
und wolte sîn doch niht ernern.
ir stæte kunde in helfe wern
und ir vil hôher kiuscher name:
iedoch ir bliukheit unde ir schame
2265 liez im dô liebes niht geschehen.
aber dô si hôrte jehen
daz er enmöhte niht genesen,
dô tet diu maget ûz erlesen
alsam ein friunt dem friunde tuot,
2270 der lîhte schamerîchen muot
ze rücke wirfet, swenne er siht
daz sîner helfe im nôt geschiht.
Dô si vernam diu mære
daz der vil sældenbære
2275 sô vaste nâch ir minne qual,
zehant diu schœne sich dô stal

2255 leit *H*] end.
2256 tougenliche *Schr*] Heimelichen (vil heimlîche *G*). und über *H*] vnd nicht vber.
2262 in helfe wern *H*] jm helffen wehrn.
2264 iedoch ir bliukheit *G*] jr blődigkeit (ir bliukheit aber *H*, wan ir bl. *J nach B*).
2266 (und aber *G*).
2267 enmöhte niht *J*] nicht mochte (möhte niht *H*).
2269 alsam *G*] Als. dem *H* *nach L*] seinem.
2272 helfe im nôt geschiht *H*] hůlff nun not beschicht.
2273 vernam *H*] vernommen.
2275 vaste nâch ir minne qual *H*] bald nach jrer Liebe galt.
2276 stal *H*] stalt.

eins tages für sîn bette hin
und sprach alsô dâ wider in.
'Engelhart, wie tuost dû nû?
2280 wie lebestû und wie bistû?
mahtû genesen oder niht?'
'frouw, ich enweiz wie mir geschiht'
sprach er mit grôzer ungehabe.
'ich bin des lîbes komen abe
2285 und mînes herzen sinne.
wan ir und iuwer minne
hât mich verderbet alsô gar.
ob ich gesprechen noch getar,
sô bin ich immer ungenesen,
2290 ir enwellet danne wesen
genædic unde günstic mir
alsô daz mînes herzen gir
an iu gestillet werde noch.'
'sô hœre ich, dir ist ernest doch'
2295 sprach diu minneclîche maget.
'frouwe, swaz ich hân gesaget,
dar an sint ir unbetrogen.
ich hân ze herzen iuch gezogen
für allez daz ûf erden ist.
2300 mir helfe alsus der werde Krist
von nœten unde nimmer baz
als iuch mîn herze sunder haz
mit triuwen her gemeinet habe.
wird ich gefüeret hin ze grabe,
2305 sô werdet ir wol innen
daz iuch kunde minnen

2277 eins tages für sîn bette *G*] f. s. B. e. t.
2282 enweiz *H*] entweiß nicht.
2283 grôzer *H*] viel.
2288 gesprechen noch *G*] noch gespr. (gespr. ez *H*).
2289 sô *H*] *f.*
2290 enwellet danne *H*] wöllet dannen.
2292 gir *H*] begier.
2295 minneclîche *H*] lieb-liche.
2297 (d. an sô s. *G*).
2300 alsus *H*] weiß.
2302 iuch *H*] ich.
2304 wird *H*] werd.

mit hôher girde mîn gedanc.
wand ich erstirbe ân allen wanc,
ob iuwer helfe mich verbirt.
2310 hier an iu kunt vil balde wirt
daz ich mich sêre nâch iu sene
und den muot an iuch verdene
und al mîns herzen âder.
gelîch dem herten quâder
2315 sît ir sô vaste wider mich,
und wizzet doch vil wol daz ich
ân iuwer helfe niht genise.
wære ich grœzer danne ein rise,
ich möhte wol verswînen
2320 von den vil strengen pînen
der ich nû lange bin gewon.
frouwe, ez solte doch dar von,
törst ich es an iuch muoten,
iuch reinen unde guoten,
2325 erbarmen, ob ich dulde
den tôt umb iuwer schulde.'
Von dirre rede klägelich
wart diu maget minneclich
beswæret in ir muote,
2330 sô vaste daz diu guote
mit siufzebærem munde sprach

2307 girde *H*] begierd.
2308 erstirbe *G*] stirbe.
2310 kunt vil (*H hat* gar) balde *H*] gar balde kundt (schiere kündec *Schr*).
2311 iu *J* (iuch *H*).
2312 (und ich den m. *G*).
2313 al *H*] alle.
2314 dem herten *H*] dem viel h.
2316 vil *G*] gar.
2319 verswînen *H*] verschwinden.
2322 ez solte doch *H*] soltet jr mich.
2323 törst ich es an iuch muoten *J nach B*] dőrffte ich euch anmuhten (getörste ich es gemuoten *H*).
2324 iuch *H*] vnd euch.
2327 dirre *G*] der.
2328 diu maget minneclich *H*] die Rede wunniglich.
2329 beswæret *H*] beweret.
2330 diu guote *H*] die rein vnd g.
2331 siufzebærem *J*] seufftzenbaren(siufzenbærem *H*).

'Engelhart, dîn ungemach
daz gât vil harte nâhe mir:
und wæne vil wol, tuon ich dir
2335 helf oder keiner slahte rât,
daz ez mir an mîn êre gât
und dir vil lîhte an dînen lîp.
ob ich werden sol dîn wîp,
daz mac niht lange sîn verholn.
2340 wir müesten beide kumber doln,
würd ez den liuten offenlich.
ê daz ich aber lâze dich
verderben unde ligen tôt,
ich hilfe dir ûz dirre nôt,
2345 swaz mir dar umbe sül geschehen.
ich hœre sprechen unde jehen,
herzetrût geselle,
daz mîn vater welle
ze ritter machen alzehant
2350 des küneges sun ûz Engellant,
Ritschieren, mîner basen kint.
diu mære wîte erschollen sint
daz ir beide wellent swert.
sô muostû, trûtgeselle wert,
2355 ritter werden ouch mit im.
und alzehant swenn ich vernim
daz dû durch ganzer wirde kraft
in dîner niuwen ritterschaft
besuochtest einen turnei,

2333 daz *H*] es. vil *Le*] gar.
2334 wæne vil wol, tuon ich dir *H*] wann viel vnd wol thun dir.
2337 dir *H*] die.
2338 (wan ob i. *G*).
2340 müesten *J*] müssen (müezen *H*).
2341 würd *J* (wirt *H*).
2345 swaz mir darumbe sül (sol *H*) *J nach B*] was m. nun drumb sol.
2347 herzetrût geselle] Hertz trawter g.
2349 ze *H*] zum.
2351 Ritschieren *H*] Rietschier.
2353 wellent (nement *Le*).
2359 besuochtest einen turnei *H*] besuchtest einen Thurnier.

2360 sô wil ich füegen daz wir zwei
in freuden mit einander leben
und uns diu wunne wirt gegeben
diu zwein gelieben wol gezimt.
die wîle man sîn niht vernimt
2365 sô muoz uns beiden sanfte sîn.
ich prüeve in deme sinne mîn
daz mich dîn herze meinet.
des hân ich mich vereinet
daz ich dich immer triuten sol.
2370 wirt starc und gehabe dich wol
ich trœste dich in kurzen tagen.
dû solt nâch dienste lôn bejagen,
nâch sorgen trôst erwerben.
lieze ich nû verderben
2375 dich, friunt, wie tæte ich danne?
man sol getriuwem manne
mit liebe leit vertrîben:
wan gegen guoten wîben
rehtiu stæte nie verdarp.'
2380 'genâde, frouwe, tûsentwarp'
sprach der minnen wunde.
'wol dem süezen munde
der sô genædeclichen redet
und gar mit vreuden überledet
2385 den kumberlichen smerzen

2360 zwei *H*] *f*.
2361 in freuden mit ein ander *H*] beyd in fr. mit nander.
2364 sîn niht *H*] sie.
2369 triuten *H*] trauwen.
2370 (*zwischen* starc *u.* und *schiebt J* herr, *SchrG* friunt *ein*).
2372 nâch dienste lôn bejagen *H*] noch Dienstlohn erjagen.
2373 nâch *H*] noch.
2375 dich *H*] euch.
2376 getriuwem *H*] getreuwe.
2380 tûsentwarp *H*] tausentfarb.
2381 minnen wunde *H*] Liebenwunde.
2383 f. redet: überledet *H*] redt: vberleht (reit: überleit *Spr*).
2385 den kumberlichen smerzen *H nach L*] mein kummerlicher schmertze.

der mir lît ûf dem herzen
und schiere ein ende nemen sol.
sît ir geheizet mir sô wol,
sô bin ich sâ zehant genesen.
2390 wol mich daz ich bin gewesen
iuwer dienest aldâ her
und ich getriuwes herzen ger
ûf iuwer minne hân getragen,
sît ich sô rîchen lôn bejagen
2395 und alsô ganze wunne muoz.
ich hân gesetzet mînen fuoz
nâch hôhen sælden in daz lant.'
hie mite gienc si dar zehant
und gap im einen süezen kus.
2400 versigelt wart ir rede alsus
unde ir zweier trûtschaft.
der süeze kneht vil tugenthaft
enwas dô langer trûric niht.
im half sîn rehtiu zuoversiht
2405 daz er in freude muoste wesen.
alzehant was er genesen.
Er wart gesunt als ie ein visch
und alsô frech und alsô frisch
daz ime nihtes mê gebrast.
2410 und dô der hôchgelobte gast
ze lîbe schône wider kam,

2386 ûf dem herzen *H*] auff meim (ûfme *B*) Hertze.
2387 und *H nach L*] *f.*
2388 geheizet (*Le,* ver- *H*) mir *H*] mir verheisset.
2389 sâ *H*] *f.*
2390 (*Schr schiebt* ie *vor* gewesen *ein, G* ô *vor* wol). gewesen *H*] genesen.
2392 herzen ger *H*] Hertz beger.
2393 minne *H*] Lieb.
2394 sô *H*] *f.* bejagen *H*] erjagen.
2397 hôhen sælden *H*] hohem glůcke.
2400 alsus *H*] allsůß.
2402 vil *H*] *f.*
2403 enwas *H*] was.
2406 alzehant was er *Le*] Vnd allzuhand was (u. a. er was *H*).
2409 nihtes *H*] nicht.
2410 dô *H*] *f.*
2411 ze lîbe schône *J nach Wa* (ze lîbes schœne *H*).

dô sprach der künic lobesam
vil harte milteclîche alsô,
daz er in wolte machen dô
2415 ze ritter vil geswinde
mit sîner swester kinde
von Engellant Ritschiere.
nû was ouch dô vil schiere
diu stunde komen und der tac
2420 dar an diu ritterschaft gelac
und des küneges hôchgezît.
ûf einem grüenen plâne wît
ein rîch gestüele wart bereit.
man sach dar komen, sô man seit,
2425 manegen ritter ûz genomen.
ouch wâren dâ ze hove komen
ûz erwelter frouwen vil.
tanzen, springen, seiten spil,
und manic rîlîch gewant
2430 wart dâ gesehen unde erkant.
ouch vant man alles des genuoc
dar zuo den man sîn wille truoc
von trinken und von ezzen.
der milte künec vermezzen
2435 sîn êre kunde wol bewarn.
er machte sîner swester barn
ze ritter mit vil hôher kost.
im riten nâch ûf sîner tjost
wol drîzic jungelinge wert.
2440 den gap der künic allen swert
des tages ime ze prîse.
Engelhart der wîse

2413 miltеclîche *H*] miltenlich.
2421 hôchgezit *H*] Hochtzeit.
2424 sô *G*] als.
2426 dâ *H* (dar *Wa*).
2427 ûz erwelter *H*] außerwehlten.
2428 tanzen *H*] Tantz.
2429 rîlich *H* (ritterlich *B*)
2432 den man *H*] dem Mann.
2437 mit vil hôher *H*] vnd vil hohest.
2438 riten *H*] reihte. tjost *H*] Jost.

was der gesellen einer.
sô rîlich kam ir keiner
2445 des mâles ûf den buhurt.
sîn lîp vil edel von geburt
vil hôhe wart gerüemet
und wart sîn lop geblüemet
mit vil ganzer werdekeit.
2450 sô ritterlîche nie gereit
dehein man weder sît noch ê.
waz touc hie von geredet mê?
der hof der nam ein ende
gar âne missewende:
2455 er wart mit êren vollebrâht.
nû hæte ouch Engelhart gedâht
wie sîn frouwe stæte
dâ vor gesprochen hæte
daz er durch ganzer wirde kraft
2460 in sîner niuwen ritterschaft
ûf einen turnei solte varn.
daz wolte er nû niht langer sparn.
Der reine wandels frîe
der fuor ze Normandîe:
2465 dâ was ein turnei hin genomen.
nû wâren dâ zesamene komen
ritter von den landen gnuoc.
Engeltrût, sîn frouwe kluoc,
hæte im dô ze stiure
2470 rîlîche covertiure

2444 rîlich kam (*L*) *H*] reinlich als.
2445 den *H*] dem.
2446 vil *H*] *f*.
2447 vil hôhe *J* (hôhe *H*; *Wa*: edel – vil hôhe).
2451 dehein *H*] kein.
2452 geredet *J nach Wa*] Zu reden (ze reden *H*).
2457 (wie daz sîn *Schr*, wie zime sîn *G*).
2458 dâ vor *H*] zuuor.
2459 er *H*] es.
2462 nû *H*] *f*. (*Wa*).
2463 der *H*] die.
2464 der fuor *J*] erfuhr (fuor *H*).
2465 (dar *Le*. hin *str. Le*).
2466 dâ *H*] *f*.
2467 den landen *H*] dem Lande.
2470 rîlîche covertiure *G*] ein riche Conferteure (rîche cov. *H*).

und einen wâpenroc gegeben.
dâ von sîn herze kunde sweben
in hôhem muote bî der zît.
er vant ûf einem plâne wît
2475 der ritter massenîe.
er kam zer vesperîe
gedrabet ûf daz grüene velt,
dâ manic kostelich gezelt
zierlîche und statelîche stuont.
2480 er tet alsam die werden tuont
an den ist wandel noch gebrest.
er îlte zeinem fôrest
daz vil nâhe stuont dâ bî.
der süeze wandelunge frî
2485 dar inne schône wart bereit.
in sîniu rîchiu wâpenkleit
slouf er zuo den zîten,
und hiez vil balde rîten
sînen knaben ûf die wisen.
2490 der frâgte jenen unde disen
ob iemen wolte stechen
unde ein sper zerbrechen
durch sînen herren ûf dem plân.
'jâ' rief ein ritter wol getân,
2495 'ich stiche ân allen zwîvel.'

2475 massenîe *J nach Wa*] viel wie man seit (vil en vreide *H nach L*).
2476 zer vesperîe *J nach Wa*] zur Versper zeit (ze vespereide *H nach L*).
2478 kostelich *H*] kôstlich (kostlich *Schr*, kostbærlich *G*).
2479 und statelîche *H*] vnd gar stattliche.
2480 alsam *H*] als (alsô *J nach Wa*).
2481 ist wandel noch gebrest *H*] w. ist n. gebrist.
2482 zeinem fôrest *H*] zu einem zur frist.
2483 vil *G*] gar.
2484 wandelunge frî *G* (*cf. J in Anm.*)] alles wandels frey (*H*, und alles wandels fr. *B*, herre wandels f. *J*).
2486 sîniu rîchiu *H*] sein reich.
2487 slouf er *H*] zohe er an.
2488 vil *G*] gar. balde (drâte *Schr*).
2493 herren *H*] Junckern.

der was genant Benîvel
und was vil edel von geburt.
ez wart vil wol an im gespurt
daz er ein fürste mohte sîn.
2500 sîn herze was der êren schrîn
und hôher ginge ein klûse.
er hæte dar von hûse
gefüeret sîner frouwen kus.
sîn schilt geteilet was alsus:
2505 durch ganzer werdekeite solt
was er obene rehte golt
und dâ niden lâsûrvar.
von golde stuont ein adelar
in dem blâwen velde dâ.
2510 dâ wider zwêne lewen blâ
in dem golde lâgen hie
und hæten beide ein houbet ie
daz für sich zorneclichen sach.
er fuorte, sô daz mære jach,
2515 schœn unde ritterlich gezoc.
von sîden was sîn wâpenroc
und diu covertiure sîn.
diu gâben ouch den selben schîn
der an deme schilte stuont.
2520 er hielt alsam die werden tuont

2496 Benîvel *H*] Beneifel.
2497 vil *G*] *f*. edel *H*] adelich.
2498 vil *J*] *f*.
2501 hôher ginge ein *J nach Wa*] hôher gieng denn ein (hôher tugende ein *H*).
2502 er (*H*, in *Koch*). dar *H*] da.
2504 geteilet was *H*] was g. alsus. *H* (alsus: *Koch*).
2507 lâsûrvar *H*] Lasur war.
2510 blâ *J nach Wa* (blâ. *H*).
2511 hie *J nach Wa*] die (die. *H*).
2512 ie *J* (*H wollte mit L hie schreiben*).
2513 für *H*] vor.
2514 daz *H*] die.
2517 *u.* 2528 covertiure *H*] Conferteure.
2519 an deme (niden an dem *Schr*).
2520 alsam *H*] als (alsô *J*, sich als *Spr*).

die rîche sint und edele.
eins pfâwen zwêne wedele
fuort er ûf sînem helme guot,
und dâ enzwischen einen huot,
2525 der was vil wîzer danne ein swan.
nû kam ouch Engelhart hindan
ûf den grüenen plân geriten.
des covertiure was gebriten
von sîner frouwen an der ram.
2530 ouch was sîn wâpenroc alsam
gedrungen mit den spelten.
man sihet nû vil selten
sô rehte ritterlîche wât.
si wâren beide wol zernât
2535 von maneger hande bilden.
des zamen und des wilden
stuont dar an ein wunder.
von golde löuber drunder
geströuwet wâren etewâ.
2540 in einem velde lâsûrblâ,
daz ouch von sîden was geweben,
stuonden als si solten leben
diu vogellîn an maneger stat.
durchliuhtic als ein rôsen blat
2545 daz velt in rôtem schîne bran

2524 enzwischen *G*] zwischen.
2525 ein *H*] kein.
2533 sô rehte *G*] alsô.
2534 zernât *Koch*] vernat (vernât. *H*).
2535 von maneger hande bilden *G*] von mannicher h. Bilde (maneger h. bilde, *H*, mit m. h. bilde. *Koch*).
2536 des zamen und des wilden *G*] beyder zam vnd wilde (beide zam und wilde, *H*).
2538f. von golde löuber drunder geströuwet wâren etewâ *G*] von Golde theuwre darunder Gestreuffet waren sie etwa (von tiurem golde drunder strîfehte wârens etewâ *H*).
2540 velde *H*] Schilde.
2541 daz *H*] der.
2542 si solten *H*] solten sie.
2543 diu *J* (*f. H*).
2544 durchliuhtic *H*] durchleuchtet.

dâ nâch wunsche wâren an
nû diu wilden tier genât.
dem rosse gienc al über den grât
von dem houpte hin ze tal
2550 ein grüeniu lîste niht ze smal.
dâ wâren în von golde,
als man si wünschen solde,
geweben dise buochstaben
'friunt, got lâze dich behaben
2555 heil unde ganzer sælden kraft
ûf minne und ûf die ritterschaft.'
Mit alsô liehter wæte
was Engelhart der stæte
und sîn schœnez ros verdaht.
2560 diu selbe decke vil geslaht
was über sînen schilt gezogen.
er kam nâch wunsche dar geflogen
frœlichen unde wol gemuot.
niht wan einen borten guot
2565 fuort er um den helm sîn.
an dem selben wart dô schîn

2546 nâch wunsche *G*] die Schilde (diu bilde *H*, von golde *Koch*).
2547 nû *Koch*] und. tier genât *H*] Thier warn genannt.
2548 grât *H*] Grant.
2551 dâ wâren în *H*] doch waren sie.
2553 dise *H*] die.
2554 got lâze dich behaben *H*] Herre Gott laß d. haben.
2555 ganzer sælden *H*] gantzes Glůckes.
2556 ûf minne und ûf die ritterschaft *J*] auff wunne und auff R. (ûf minne unde ûf r. *H*, ûf minnen u. ûf r. *oder* ûf minne u. ouch ûf r. *BSchr*).
2557 mit *H*] seit.
2559 verdaht *H*] ward verdackt.
2560 diu selbe decke *J nach H Anm.*] derselben Decken (der stûchen decke *W. Grimm Athis S. 49* [*393*] *Anm.*, der selben decke *H*, *Koch*).
2563 frœlichen *H*] frǒlich (*J*).
2564 niht wan *H*] nichts dann.
2565 um den helm sîn *G*] vmb den Helme s. (an dem h. s. *H*, umb den helmen sîn *Wa*, umben Helm sîn *Koch*).
2566 wart dô *H*] von dem.

den liuten algemeine
daz in ein frouwe reine
hæt ûf die ritterschaft gesant.
2570 er was in allen unbekant
die dâ ze velde wâren.
des wart ûf den vil klâren
genuoc und vil gekaphet.
swenn er kam gestaphet,
2575 sô sprâchens algemeine
'jâ herre got der reine,
wer ist dirre werde man?
zewâre, ez schînet wol hier an
daz er ein frouwen ritter ist,
2580 wan si hânt ir wæhen list
an sîniu rîchiu wâpenkleit
nâch allem wunsche alsô geleit.'
Hie mite wart ein rûm gemaht.
die zwêne ritter wol geslaht
2585 zeln ander liezen stieben.
durch willen sîner lieben
rief Engelhart wol drîstunt
'schœner rœselehter munt!'
und nam das ros mit scharpfen sporn.
2590 in beiden ûf ein ander zorn
vil harte grimmeclichen was.
die bluomen und daz grüene gras
vertretet wurden sêre dô.
man sach dô ûfe fliegen hô
2595 von herten steinen fiures glanz.

2567 algemeine *H*] allen g.
2568 ein frouwe *H*] Jungkfrauwe.
2573 (gnuoc unde vil *G Anm.*, vil unde gnuoc *Schr*).
2574 (sw. e. dar kam g. *G*).
2575 sô *H*] da.
2579 er *H*] *f.*
2580 wæhen *H*] weben.
2581 sîniu rîchiu *H*] sein reich.
2588 schœner *H* (*J Anm. vermutet* schevaliers).
2591 vil harte grimmeclichen *J nach B*] gar hart vnd gr. (*Wa*, gar harte gr. *HG*).
2592 grüene *H*] *f.*
2593 vertretet *Le*] Vertretten.

an êren lûter unde ganz
was ir ritterlicher muot.
ir ros vil edel unde guot
si alsô swinde truogen dar
2600 daz die schefte wurden gar
mêr danne halp zerschrenzet
und alsô vaste engenzet
daz diu kleinen stückelîn
ûf in der liehten sunnen schîn
2605 begunden stieben als ein melm.
Engelhart an sînen helm
sô gar geswinde wart dô garn
daz im dar abe muoste varn
sîn borte guot mit deme sper.
2610 daz galt vil ritterlichen er
mit sîner frechen hende sider.
er warf daz ros vil balde wider
ûz hoher mannes krefte.
zwên ander niuwe schefte
2615 ze handen si dô nâmen,
mit den si aber kâmen
gerennet über jenen plân.
Engelhart begunde lân
den schaft ein wênic hin ze tal
2620 und traf nâch sînes herzen wal
den Schotten ûf die linke brust
sô vaste daz er von der just

2599 si alsô swinde *H*] also schwinde sie.
2601 zerschrenzet *H*] zerstrenzet.
2604 in *H*] *f*.
2606 sînen *H*] seinem.
2607 sô gar geswinde wart dô garn *G*] gar schwinde w. gejaren (gar gesw. [harte sw. *BLe*, sô gar sw. *J*] w. gearn *H*).
2608 daz im dar abe muoste varn *J*] daß jm darab thet fahren (sô daz im dar abe varn *H*).
2609 sîn borte guot mit deme sper *G*] s. B. mit dem Sp. (sîn b. muoste an deme sp. [mit dem sp. *Wa*] *H*, s. b. wæhe mit dem sper *J*).
2612 vil *H*] *f*.
2616 den *H*] dem.

sîn liep mit leide mischte
und ûz dem satel wischte
2625 gæhes ûf den anger.
Engelhart niht langer
ûf dem velde wolte sîn.
ze walde kêrte er wider în
und tet sich aber under.
2630 si nam des alle wunder
wer möhte sîn der werde degen.
justierens wart dô vil gepflegen
dannoch ûf der heide lieht.
ein grâve was von Ûztrieht:
2635 der wart gestochen ouch dâ hin,
und manic ritter under in
der namen ich verswîgen wil.
sô lange triben si daz spil
biz si diu naht in ir gezelt
2640 begunde jagen über velt.
Des morgens dô der tac an brach
und in diu state dô geschach
daz ie der man ein wênic gaz,
dô sach man si gezieret baz
2645 eht aber hin ze velde zogen,
als engel wæren dar geflogen

2623 liep mit leide mischte (mischete *H*) *J*] Leib m. l. mischet.
2624 wischte *J*] wûschet (wischete *H*).
2625 gæhes *H* (*Schr*)] gleich (gælichen *J nach Wa*).
2628 ze *Le*] zu dem (zem *H*).
2629 under *H* (sunder *Koch*).
2630 alle *H*] aber.
2632 dô *H*] *f*.
2633 dannoch ûf der heide *H*] dann oben auff d. Heyden.
2634 Uztrieht *H*] Vdrich.
2639 in ir *H*] mit.
2640 begunde *H*] begundten
2643 ie der man *H*] jedermann (ieclich *J urspr. nach B*).
2644 si *H*] *f*.
2645 eht *G*] *f*. zogen *H*] gezogen.
2646 als engel wæren dar geflogen *H*] gleich als Engel wern gefl.

ûz dem heiligen paradîs.
geverwet in vil manege wîs
ir liehten schilte wâren dâ.
2650 der eine rôt, der ander blâ
vil wünneclîche erlûhte.
der dritte wîzer dûhte
danne ein blankez harmvel.
dâ wider schein der vierde gel.
2655 nû was der fünfte grüene.
die mæren helde küene
fuorten ritterlich gezoc.
dâ schein vil manic wâpenroc
der mit golde was durchweben.
2660 man sach dâ fliegen unde sweben
manege rîche banier,
dâ beide vogel unde tier
nâch wunsche was gemachet în.
ir wâpen und der bluomen schîn,
2665 diu wâren maneger leie
zem selben turneie.
Zwei tûsent ritter kâmen
gezoget ûf den sâmen
durch hovieren, umb gewin.
2670 ez solte gelten under in
reht als der man ze velde kam.
als ez ir êren wol gezam
sô wurben si nâch prîse dô.
der turnei wart geteilet sô

2647 heiligen (vronen *Schr*).
2648 in *H*] auff.
2651 wünneclîche erlûhte *H*] wunniglichen erlauchten.
2652 wîzer dûhte *H*] weiser dauchten.
2653 harmvel *H*] Harenfell.
2656 mæren *H*] mehren.
2657 ritterlich *H*] Ritterlichen.
2661 manege rîche *H*] manich reich.
2664 der *H*] jr.
2666 zem selben *H*] zu dems.
2668 gezoget *Le*] Gezogen.
2669 umb *J*] und.
2670 ez *H*] er.
2672 gezam *H*] zam.
2674 sô *H*] also.

2675 daz von den vil klâren
tûsent ritter wâren
gegen zehen hunderten.
alsô gelîche sunderten
sich dô diu mæren helde guot.
2680 von Schotten künic Wahsmuot
was in der einen parte
und hæte sich vil harte
gezieret als die werden tuont.
ein krône ûf sînem helme stuont
2685 vil bezzer danne tûsent marc.
er reit ein ros unmâzen starc,
drûf lac ein covertiure,
diu bran von golde in fiure:
daz selbe tet sîn kursît.
2690 von Riuzen künic Hertnît
geschicket was inz ander teil.
der hielt ouch frœlich unde geil
ûf sînem râvîte.
er fuorte von samîte
2695 vil rîchiu wâpenkleider an.
Engelhart, der werde man,
was in des selben küneges schar.
nû si geteilet wurden gar
vil ebene und vil gelîche,
2700 dô wart vil snellеclîche
den rossen wol verhenget
und ûf daz velt gesprenget

2675 von den *H*] vnder.
2679 dô *G*] *f.* mæren *H*] mehren.
2685 vil bezzer danne *G*] besser dann viel (b. vil dan *H*).
2687f. drûf lac ein covertiure, diu bran von golde in fiure *Koch*] darauff lag ein Conferteure. Die brannt von Gold als ein Feuwre (drûf bran ein cov. von golde alsam in fiure *J nach H Anm.*, *H urspr.* dar ûf ein cov. bran alsam in fiure).
2689 kursît *H*] Tursît.
2690 Hertnît *H*] Hartwig.
2693 ûf sînem râvîte *H*] auff seiner Frauwen gute.
2694 samîte *H*] Kleinote.
2701 wol *H*] viel.

von den zwein werden rotten.
die Riuzen und die Schotten
2705 zein ander sich dô wurren.
dô grâzten unde kurren
ir ros, wan si sich fröuten,
dô man begunde flöuten
unde tamburieren.
2710 in stuont ir justieren
mit vuogen ritterlichen an.
dô flugen banier unde van,
dô glanzten hie spiez, dort der schilt.
mit scharpfen swerten wart gespilt
2715 ûf liehten helmen ûf der wisen.
dirre den und jener disen
begunde rennen alzehant.
ein ouge dâ mit wunsche vant
lîhte rîche wunne.
2720 diu bluomen und diu sunne,
der purper und diu sîde,
daz golt und daz gesmîde,
ir schîn zesamene gâben,
dô sich die rotten wâben
2725 zein ander alsô vaste.

2703 werden rotten *H*] wehrden Recken.
2704 und die Schotten *H*] vnd Schotten kecken.
2705 zein ander sich *H*] zu einander sich (sich under ein *Le*).
2706 dô *H*] die.
2707 wan sie *H*] *f.*
2708 flöuten *H*] zu fleuwten.
2709 (unde ouch t. *G*).
2711 vuogen *H nach L*] genůgen.
2712 dô flugen banier unde van *J*] da flohe Fahne vnd Fahn (dô fl. vanen unde van *H*).
2713 der *H*] *f.* (hie glanzte sp., dort der sch. *Le*).
2715 helmen *H*] Helm.
2717 begunde rennen *H*, *Koch*] begundten rennen (begunde an r. *J nach B.*)
2719 lîhte rîche *J*] liechte vnd r. (liehte und r. *H*).
2722 und daz *H*] vnd auch das.
2724 dô sich die rotten wâben *H*] da sie die roten woben.
2725 zein ander a. *H*] zu einander a. (under ein sô *Le*).

dô wart von liehtem glaste
geschouwet grôzez wunder.
ouch hôrte man dar under
von slegen ein getemere
2730 als ob dâ tûsent hemere
klungen in dem louge.
ez gulte manege bouge
daz golt daz dâ verrêret wart.
diu swert enwurden niht gespart
2735 und die vil starken brügele.
ez wart bî sînem zügele
maneger dô gefüeret hin.
Engelhart reit under in
slahende unde stechende
2740 unde eine strâze brechende
durch die ritterlichen schar.
er tet alsam der adelar,
der kleiner vogele niht engert.
der ritter biderbe unde wert,
2745 die küene und edel wâren,
der kunde er wol gevâren
und was sô nîdic ûfe die
daz ein grimmer lewe nie
sô giric was nâch einem vihe.

2727 geschouwet *Le*] Beschauwet. grôzez (michel *Schr*).
2730 dâ *G*] *f.* (ein *B*, *Spr*).
2731f. klungen *G*] da klungen. in dem louge. ez gulte manege bouge *J*] in einer Schausen Es galte manniche bausen, (dâ klüngen in ein sûsen. ez gülte manegen hûsen *L*, *von H für mögl. erklärt;* dâ klunge en ebenhiuze. es gulte manige biuze (ez galt dô manec gebiuze *Le*) *BLe*, dô klunge in ein recht dâ zehant. ezg . manigen bîsant [bîsant *schon von H nach Wa vorgeschlagen*] *Spr ZfdPh 26, 281f.*, dô klungen in einer klûse. ez gulte manige pûse *Seemüller ZfdA 37, 239*).
2733 verrêret *H*] verehrt.
2734 enwurden *H*] entworden.
2742 alsam *H*] als.
2747 ûfe die *H*] auff sie.
2749 nâch eine vihe *H*] noch einem Vehe.

2750 er fuorte, des ich mich versihe,
des tages ûz vil manegen helt.
und swaz der ritter ûz erwelt
rosse dâ bejagete,
diu gap der unverzagete
2755 den knaben von den wâpen.
von golde eins lewen tâpen
fuorte ein ritter küene
in sînem schilte grüene.
der schuof des tages wunder
2760 und wolte sich besunder
ûf iegelichen striuzen.
den werden künic von Riuzen
hæt er gevangen in den zoum,
und wolte in under einen boum
2765 ziehen balde in sînen fride.
sîn kneht der sluoc ûf sîniu lide
mit einem starken bengel.
wand er alsam ein engel
gezieret was mit golde,
2770 sô wolte er hân ze solde
daz ros und ouch den harnasch.
nû daz er ûf in alsô drasch,
dô wart sîn Engelhart gewar,
und kam vil kurzeclichen dar
2775 geriuschet als ein windes brût.
'herre' sprach er über lût,
'ir lâzent uns den künic hie.'
'war umbe' sprach er 'oder wie
sol ich in lâzen under wegen?'

2750 fuorte, des ich mich versihe *H*] fuhrt das ich mich versehe.
2763 den *H*] dem.
2766 der *H*] *f.* sîniu lide *J*] s. gliede (sîne lîde *H*).
2768 alsam *J nach B*] als ob (als *H*).
2772 ûf *J nach B*] *f.*
2774 vil kurzeclichen *G*] gar kurzelichen (snelleclichen *Schr*).
2775 geriuschet *Le*] Gebrauset.
2778 oder *G*] da (ode *H*).

2780 'entriuwen' sprach der junge degen,
'dâ muoz er hie belîben.'
alsô begunde er trîben
daz ors und rennen mit den sporn
ûf den ritter ûz erkorn
2785 und wolte in nider rîten.
des liez er an den zîten
den hôhen künec vil ertec,
und wart dô widerwertec
Engelharte bî der frist.
2790 er warf sich umbe, wizze Krist,
und kam ûf in gerennet.
ir beider muot enbrennet
wart ûf grimmen ernest.
si wolten aller gernest
2795 den schimpf mit zorne mischen.
die werden und die frischen
zein ander liezen hürten.
vil hôhe si dô bürten
diu glanzen swert vil liehtgevar.
2800 si sluogen si dar unde dar
ûf helme und ûf die schilte.
turnierens man gespilte
nie sô strîteclîchen
alsô die tugentrîchen
2805 mit ein ander tâten.
swaz frouwen ie genâten
an Engelhartes kleide,
daz wart verströuwet beide

2780 entriuwen *H*] in tûgen.
2781 dâ *J nach B* (jâ *HLe*).
2783 daz ors und rennen mit den sporn *H*] daß es mit renneten Sp.
2786 des *H*] das.
2787 ertec *H*] jrtig.
2788 dô widerwertec *H*] da wider fertig.
2790 umbe wizze Krist *H*] vmb den weisen Christ.
2791 und *H*] er.
2797 zein ander liezen hürten *H*] zu einander l. herten.
2798 bürten *H*] berten.
2800 sluogen si dar *H*] sl. dar.
2803 strîteclîchen *H*] streitleichen.
2806 genâten *H*] nahten.
2808 (zerstreuwet *Le*).

und zertrennet sêre.
2810 ouch werte sich der hêre
vil ritterlîche, als ich vernim.
daz swert daz underreit er im
und umbevienc in zuo der zît.
die linke hant die sluoc er sît
2815 im leider lam ân allen spot
und hielt in vaste, sam mir got,
mit dem einen arme sîn.
mit beiden sporen sluoc er în
und îlte dan ûf sîne vart.
2820 sîn knabe des bereite wart
daz er niht müezic ouch beleip.
daz ros er balde hin nâch treip,
dâ der ritter ûfe saz,
mit einem knütel, wizzet daz.
2825 er wart ân aller slahte sûm
gefuort in Engelhartes rûm.
dâ muoste er lâzen alzehant
ros unde stähelîn gewant.
Nû was der ritter mære
2830 ein rehter lantvaræere
und hæte ouch anders geldes niht
wan daz er muoste, sô man giht,
mit sînem schilde sich bejagen.
und als er diz begunde sagen
2835 dem werden Engelharte sider,
dô liez er im vil drâte wider

2810 hêre *H*] Herre.
2812 daz swert daz underreit *G*] das s. underreiht (sîn sw. daz u. *H*).
2814 sluoc (tet *oder* machte *Le*).
2815 im *H*] in.
2816 sam mir got *H*] summer g.
2919 dan *H*] da.
2820 bereite *H*] bereit.
2826 in *H*] *f.*
2828 ros unde *H*] Das Roßz vnd (ros und daz *Le*).
2830 lantvaræere *H*] Landfarherre.
2831 geldes *H*] Goldes.
2833 bejagen *J nach B*; *vorher schon Müller* (betragen *H*).
2834 als er *H*] er also

ros unde wâpenkleider.
der seite er im dô beider
vil harte gnendeclichen danc.
2840 Engelhart nâch prîse ranc
beide wider unde für.
sîn junger lîp von hôher kür
des tages êren vil gewan.
ouch was dâ anders manic man
2845 der wol nâch ganzer wirde reit.
swaz aber iemen dâ gestreit
nâch hôhen êren durch bejac,
vil lîhte man daz allez wac
engegen disem prîse
2850 den Engelhart der wîse
bejagete ûf dem anger.
in die rotte dranger
als under schâf ein wilder ber.
der eine hin, der ander her
2855 wart von im geknüstet.
sîn ros vil wol gebrüstet
macht um sich einen wîten kreiz:
sêre sluoc ez unde beiz
und was ir gnuogen bitter.
2860 'schevaliers, frouwen ritter!'
rief dâ maneges gernden munt:
'hei wie kan er alle stunt
nâch hôhem prîse ringen!
ei wie kunde dringen

2837 ros *H*] Das Roßz.
2838 der *H*] das.
2839 gnendeclichen *Spr*] gnediglichen (*H* [*mit Bedenken*], *G*, redelichen *J*).
2847 nâch hôhen êren *J* (nâch hôher êre *H*). durch bejac *J nach B*] nach b. (od um bejac *H*).
2849 engegen *Le*] Gen (gegen *H*).
2851 bejagete *H*] gejaget.
2855 im geknüstet *H nach L*] jn gefristet. (*Schr schiebt* dâ *nach* im *ein*).
2857 einen *H*] ein.
2859 gnuogen *H*] gnûge.
2860 schevaliers frouwen *J*] schôn weiß Frauw (kurtois [*L*] frouwen *H*).
2861 gernden *H*] gerndes.
2864 kunde *H*] kundte er.

2865 sîn frouwe borten an der ram,
diu sô rehte lobesam
gezierte sîniu wâpenkleit!'
sus gienc dâ maneger unde reit
sîn lop vil sêre mêrende
2870 und in mit worten êrende
baz dan ich iu künde sagen.
er half den Riuzen prîs bejagen
und leite alsô die Schotten hin
daz ir lop und ir gewin
2875 gegolten hæte niht ein ei.
ein ende nam der turnei
mit ir schaden ûf dem wal.
die werden ritter über al
von dannen kêrten bî der zît.
2880 Engelhart der junge sît
ze Tenemarken îlte wider
und liez sich dâ ze hove nider
bî dem künige alse vor.
sîn êre steic vil hôhe enbor
2885 und wart vor sîner frouwen breit:
wande ir wart vil wol geseit
wie sîn vil lobelicher prîs
durchliuhtic wære in alle wîs
ûf der ritterschefte dort.
2890 dâ von si ganzer freuden hort
in ir herze leite dô.
si wart von sîner wirde frô.

2867 gezierte sîniu *H*] gezieret sein.
2868 sus *H*] so.
2869 lop *H*] Leib.
2871 iu *H*] *f.*
2872 bejagen *G*] erjagen.
2877 dem wal *H*] der wahl.
2881 ze Tenemarken îlte wider *H*] zu Dennemarck eylte sider.
2883 alse *H*] als.
2884 vil *G*] gar.
2886 *u.* 2894 vil *J nach B*] gar.
2887 vil *G*] *f.* (*Schr schiebt dafür* daz *nach* wie *ein*).
2888 durchliuhtic *H*] durchleuchtet. wære *Schr*] ward.
2890 si *H*] so.
2891 leite *H*] lachte.

Dô er nû heim ze hove kam
und Engeltrût vil wol vernam
2895 sîn êre maneger hande,
dô sprach der hôchgenande
heimlîche zir an einem tage
'frouwe, mînes herzen klage
enhât kein ende noch genomen.
2900 ich bin ze hôhem muote komen
ein teil von liebem wâne:
doch wirde ich nimmer âne
leides ê daz mir geschiht
von den genâden liebes iht
2905 der ein wunder an iu lît.
gedenket, frouwe, daz ir sît
stæte an allen dingen,
und lâzet mir gelingen
als ir mir daz gelobet hânt.
2910 gnâd unde triuwe an mir begânt:
daz stât vil wol der sælekeit
die got von himele hât geleit
an iuwer leben mit genuht.'
'zewâre' sprach diu reine fruht,
2915 'swaz ich ze dir geredet habe,
des engân ich dir niht abe:
des mahtû sîn vil sicher.
ich hân dich herzeclicher
geminnet danne dû mich habest.
2920 ob dû mir tûsent eide stabest,

2897 heimlîche zir *H*] heimlich zu jr (tougen z. *erwägt Schr*).
2899 enhât kein ende noch *G*] hat noch kein Ende (hât dehein e. noch *H*, noch kein e. enhât *J*).
2901 liebem *H*] Lieben.
2904 liebes iht *H*] liebet jcht.
2911 vil wol *J nach B*] gar viel (gar wol *H*).
2912 von *H*] vom.
2913 genuht *H*] gerucht.
2915 ze *H*] *f*.
2916 engân *H*] entgeh.
2917 vil *G*] gar. sicher *H*] schierer.
2919 geminnet *H*] geliebet.
2920 stabest *H*] sagest.

die swer ich dir dar umbe wol.
sô man nû schiere slâfen sol
nâch dem tische z'undern,
sô soltû balde sundern
2925 vor allen liuten eine dich.
kein wort ensage noch ensprich
und ganc ze dem boumgarten în
durch die kemenâten mîn:
dâ vindestû mich inne.
2930 dâ wellen wir der minne
und guoter friuntschaft öugen vil.
ûf unser zweier minnespil
enmac nieman gewarten.
wan umbe den boumgarten
2935 ein vil hôhiu mûre gât.
kein ander tôr dar inne stât
wan eht durch mînen palas.
liehte bluomen unde gras
suln wir dar inne schouwen.
2940 ich wil mîne frouwen
alle schicken von dem wege.
sô nim dû mich in dîne pflege
und lebe nâch dem willen dîn.'
'genâde' sprach er, 'frouwe mîn:
2945 ir sprechet unde redet wol,
und alsô wol daz ich iu sol

2921 die swer *H*] deß schwer.
2923 tische z'undern *H*] Tisch zu vndern.
2925 eine *H*] *f.*
2926 ensage noch ensprich *H*] nicht sage noch sprich.
2929 mich inne *H*] mich darin eben.
2930 minne *H*] Lieb pflegen.
2931 öugen *Le*] eignen (pflegen *seit H*).
2932 minnespil *H*] wunnespiel.
2933 enmac *H*] mag.
2936 kein – dar inne *H*] da kein – darinn.
2937 eht *G*] *f.*
2938 unde gras *H*] als das Graß (als ein glas *J*).
2940 (jâ wil ich *G*).
2944 sprach er frouwe *H*] Frauwe spr. er.
2946 iu *H*] *f.*

immer undertænic wesen.'
sus gienc der ritter ûz erlesen
von der maget minneclich.
2950 und dô der künic slâfen sich
geleite nâch dem tische,
dô kam zehant der frische
gegangen an die selben stat
dar in diu schœne komen bat.
2955 Ouch was si tougenlichen
aleine dô geslichen
dar in den boumgarten.
den süezen Engelharten
enphâhen si dâ wolte.
2960 nû sprechent, ob in solte
gelüsten niht ir lîbes wol.
swaz ein edel herze sol
reizen ûf der Minnen spil,
des wart er nâch dem wunsche vil
2965 an ir lîbe wol gewar.
schœn unde minneclich gevar,
als milch gemischet unde bluot
was ir liehtiu varwe guot
mit wîze und ouch mit rôte,
2970 und was ir hâr genôte
brûn unde reit bî disen zwein,
daz gar liutsæleclichen schein
an der vil schœnen meide.

2947 immer *H*] euch.
2951 geleite *H*] gelehrte.
2954 dar *H*] da.
2955 tougenlichen *Schr*] heimlichen.
2956 dô *G*] da (dar *H*).
2957 dar in *G*] da in (in *H*).
2959 si *H*] *f*.
2960 nû sprechent ob in *H*] nun sprechen ob ich.
2962 (wan sw. G.)
2963 Minnen spil *H*] Liebespiel.
2964 er *H*] jr.
2966 minneclichgevar *H*] Leiblich g.
2967 als m. gem. u. bl. *Le*] Gemischet als M. vnd Bl. (*H*, g. a. m. unde als bl. *J*).
2971 reit *H*] rot.
2972 gar liutsæleclichen *G*] gar leutterlichen (ez gar liuterlichen *H*, vil l. *Le*)

vil wünneclich getreide
2975 lac an ir süezem lebene.
ir nase was vil ebene
vür wandel gar gesnitzet
verstumpfet noch verspitzet
was si niender umbe ein hâr.
2980 ir ougen lûter unde klâr
beidiu stuonden wol ze lobe.
dâ swebeten brûne brâwen obe
alsô gevuoclichen
als ob si dar gestrichen
2985 hæte ein kleinez benselîn.
ir wangen rœselehten schîn
beide gâben alle stunt.
scharlachen rôt was ir der munt
und stuonden drinne kleine zene,
2990 die glizzen wîzer danne jene
die hie vor truoc diu schœne Îsôt.
ir zene blanc, ir mündel rôt
sach man glesten under ein.
durchliuhtic wîz ir kele schein,
2995 ouch was ir kinne wol gestalt.
diu sælde was vil manicvalt
der ein wunder lac an ir.
ir lîp nâch edeles herzen gir
in hôher wunne bluote.
3000 reht als ein wünschelruote

2977 vür w. g. gesnitzet *Le*] Vor w. g. beschnitzet.
2981 ze lobe *H*] zu loben.
2982 obe *H*] oben.
2983 gevuoclichen *Schr*] gevüegelichen *H*.
2986 rœselehten *H*] rôselechter.
2988 scharlachen *G*] scharlachans (scharlachens *H*).
2989 drinne kleine zene *G*] darinne zâne (kleine z. *H*).
2990 die glizzen *G*] Darinne. danne jene *H*] dann ein Henne.
2991 diu schœne Îsôt *H*] schônen Ysot.
2992 mündel *H*] Můndlein.
2994 durchliuhtic wîz ir kele schein *H*] durchleuchtet was jr Kâlenschrein.
2996 sælde was *H*] glůckliche.
3000 als *H*] wie.

kam si geslichen ûfreht.
ir wâren bein und arme sleht,
gewollen als ein kerze.
ir hende ân alle swerze
3005 wâren lûter unde wîz.
ez lac an ir sô hôher vlîz
daz man mirs niht geloubet.
vil schône was ir houbet
gezieret, als diz mære swuor.
3010 man sach von golde ir eine snuor
zeinem schapel ûfe ligen,
diu über al was wol gerigen
vol edeles gesteines,
daz man nie sô reines
3015 noch alsô guotes niht gewan.
reht als ein pâternoster dran
wâren si gestôzen.
man sach den vaden blôzen
niender eines hâres breit.
3020 saphîre wâren dran geleit
in wünneclichem schîne.
smâragden und rubbîne
sach man dâ liuhten ouch dervon.
vil manic lieht topaziôn
3025 lac dar an vil schône.

3002 arme *H*] *f*.
3003 gewollen als ein kerze *H*] geschweben als ein Kertz.
3004 ân alle swerze *H nach L*] on allen schmertz.
3006 an ir sô hôher flîz *H*] an so hohen fleiß.
3007 geloubet *H*] englaubt.
3009 diz *H*] diese.
3010 von golde ir eine *J nach B*] jr von Golt ein (ir goldes eine *H*).
3011 zeinem *H*] zu einem. ligen, *J* (ligen. *H*).
3012 über al was wol gerigen *J*] was vberall wol g. (was über al gerigen *H*).
3013 vol edeles *H*] also voll edelen.
3015 alsô *G*] so. niht *H*] nie.
3016 reht als *G*] Als. dran *H*] daran.
3020 wâren dran *H*] worden daran.
3023 dâ *G*] *f*. dervon *G*] daruon (dar von *H*, dâ von *J*).

ouch wâren kalzidône
dar an geleit mit listen,
vil guoter amatisten
gemischet was dar under,
3030 und gâben dâ besunder
liehten schîn enwiderstrît.
von der sumerlichen zît
was hitze dâ niht fremde.
dô truoc diu schœne ein hemde
3035 von sîden an ir lîbe,
daz nie deheime wîbe
ein kleit sô rehte wol gezam.
ez was sô kleine, als ich vernam,
daz man dar durch ir wîze hût
3040 (diu was alsam ein blüendez krût)
sach liuhten bî den zîten.
mit golde zuo den sîten
gebrîset was ir lîp dar în.
man sach ir senften brüstelîn
3045 an dem kleide reine
storzen harte kleine,
als ez zwên epfel wæren.
der süezen freudebæren
daz hemde stuont nâch wunsche gar.
3050 von rubbîne ein adelar,
klein unde vil gefüege doch,
zein ander spien daz houbetloch
an der vil liehten wæte.
von maneger guoten næte
3055 sach man dar an ein wunder ligen.

3036 deheime *H*] keim.
3037 gezam *H*] zam.
3038 sô *Schr*] *f.*
3039 wîze *H*] weiche.
3040 diu was alsam *H*] sie was als.
3041 *im Druck nach* 3042.
3043 gebrîset (gebrisen *J*) was ir lîp dar în *H*] gepreiset w. jr Lob darein.
3046 storzen *H*] stůrtzen.
3047 als ez *H*] als ob es.
3052 zein ander *H*] zu einander.
3055 dar an *H*] dran.

enzwischen dem muoder und der rigen
von golde stuont ein lîste breit.
dâ wâren gimmen în geleit
und ûz erwelte steine.
3060 die wâren aber kleine
und ûzer mâzen wunnesam.
daz hemde bî der erden nam
vil manegen wünneclichen valt.
der eine was alsô gestalt
3065 und was der ander sô getân.
man sach si bî den füezen gân
vil wildeclichen ümbe.
si suochten fremde krümbe
beidiu ze berge und hin ze tal.
3070 dirre der nam sînen val
vil schône rehtehalp dar nider:
sô vielt sich jener ûfe wider.
der eine was geslitzet,
reht als ein bilde gesnitzet,
3075 und was der ander vorne sleht.
si wâren eben unde reht,
her unde dar geschrenket.
daz hemde stuont gelenket
nâch einem fremden schrôte

3056 enzwischen (*Le*, zw. *H*) dem muoder und der rigen *H*] Zw. d. M. vnd Rigen (zw. m. unde [*oder* und der] rigen *J*).
3057 lîste *H*] Leisten.
3058 gimmen *H*] Gummen.
3060 die *H*] sie.
3061 ûzer mâzen *H*] außdermaßen.
3063 vil *G*] gar.
3065 was *G*] *f*.
3066 füezen *H*] sůssen.
3067 wildeclichen *H*] miltiglichen.
3068 suochten *H*] suchte.
3069 hin *J*] *f*.
3070 sînen *H*] sein.
3072 vielt sich jener (?ener *B*) ûfe wider *H*] fiel sich einr auff der ander wider.
3074 reht als *G*] gleich wie (alsam *H*).
3075 was *G*] *f*. vorne sleht *G*] fornen an schlecht (vornen sl. *H*).
3079 schrôte *H nach L*] strade.

3080 und suochte sô genôte
an ir lîp vil ûz erkorn
daz man des hæte wol gesworn
daz diu sældenbære
einhalp des gürtels wære
3085 nacket unde enblœzet gar.
wande ir hût vil liehtgevar
durch daz hemde sîdîn
gap alsô rehte blanken schîn
daz man des tuoches niht erkôs
3090 und oberhalben gar verlôs
daz hemde lûter unde glanz.
dâ von enmohte niht der swanz
die varwe sîn verliesen:
er liez sich dâ wol kiesen
3095 von maneger hande valten.
der süezen wol gestalten
daz hemde stuont vil wol ze lobe.
si truoc ein mantellîn dar obe,
daz was vil guot scharlachen rôt.
3100 dar ûz ein liehtez fuoter bôt
ie wîzen unde ie blâwen schîn:
daz was durchliuhtic wîz hermîn.

3080 genôte *H nach L*] Genade.
3082 des hæte wol gesworn *H*] das h. wolgesporn.
3083 diu *H*] sie.
3084 einhalp *G*] obenthalp (enhalp *H*).
3088 alsô *G*] so.
3089 des tuoches *Koch*] das Thuch (dar obe *H*, des daches *J nach Wa*).
3090 oberhalben *H*] Aber halb.
3091 unde glanz *H*] vnd gantz.
3092 enmohte *J nach B*] mochte.
3097 vil wol *B* (*auch nach J besser*)] viel (vil gar *H*).
3098 ein mantellîn dar obe *H*] ein Mantel drobe.
3099 daz was vil guot *H*] der w. gar g.
3100 dar ûz ein liehtez fuoter *H*] dann auß ein Liesches Futter.
3101 ie wîzen unde ie *H*] ir w. vnd.
3102 durchliuhtic *H*] durch leuchtet. wîz hermîn *Schr*] Hermelein.
3105 engegen *Le*] Hin gen.

Dô kam geslichen Engeltrût
über gras und über krût
3105 engegen Engelharte.
er wart von ir vil zarte
enpfangen an der selben stete.
daz mantellîn si ûfe tete
unde enpfienc in drunder.
3110 si fuorte in dô besunder
ûf einen senften materaz
ein wênic wol hindane baz:
dar ûf was in gebettet.
und hæte ich sîn gewettet
3115 umb allez daz ich ie gesach,
ir hôhen freude und ir gemach
künd ich gesagen halbez niht.
ich hân des guote zuoversiht
daz in von herzen würde wol.
3120 diu Minne süezer dinge vol
kunde in liebes wol gestaten.
si lâgen under eime schaten,
daz in ze schirme was gegeben
von loube ein dach und underweben
3125 mit wünneclicher blüete.
si truogen hôchgemüete
als in diu wâre schult gebôt.
die bluomen und die rôsen rôt
in beiden sorgen swacheten,

3107 an *H*] von.
3108 daz mantellîn *H*] den Mantel.
3109 drunder *H*] darunder.
3110 dô *G*] dannen (dan *H*).
3111 materaz *G*] Mattenrassz (matraz *H*).
3112 wol hindane *G*] hin dannen (hindannen *H*, in den garten *J*). (V. 3111. 3112 *stellt Le um*).
3117 gesagen halbez *H*] sagen halbez.
3120 Minne *H*] Liebe.
3121 gestaten *H*] gestaden.
3122 eime schaten *H*] einem Schaden.
3123 daz (der *H*). gegeben (gegeben, *H*).
3124 ein dach und *J*] jn doch (iedoch *H*, und iedoch *B*).
3129 sorge swacheten *H*] sorgen schmachten.

3130 wan si sô suoze lacheten
ein ander an durch grüenez krût
daz Engelhart und Engeltrût
von dirre ougenweide
ze rehte muosten beide
3135 ie lachen ein daz ander an.
daz süeze wîp, der werde man,
dûhten sich vil sælec.
ein mensche hungermælec
wart einer ganzen wirtschaft
3140 nie sô rehte freudenhaft
als si zer lieben stunde,
dô munt engegen munde
getriuweclîche strebete:
wand in ir sinne klebete
3145 diu zuckersüeze minne
gar eigenlichen drinne.
Si freuten sich in manege wîs.
in wart daz sælden paradîs
ûf entslozzen und getân.
3150 si giengen ûf der Minnen plân
und brâchen freuden bluomen dâ,
sô schœne daz man anderswâ
minneclicher nie gebrach.

3131 ein ander *H*] eins das ander.
3133 dirre *G*] der.
3135 lachen ein daz ander *H*] lachet jr eins den andern (ie lachen ein daz ander *J*).
3137 vil *G*] gar.
3141 als si *H*] als so sie. zer *H* (der *B*). *Schr möchte* selben *statt* lieben *lesen.*
3142 dô munt engegen munde *H*] daß Munde gegen M.
3144 ir sinne *G*] sicher (*H*, schiere *J nach Spr*, benamen *Schr*).
3145 minne *H*] Liebe.
3146 gar eigenlichen *G*] eigentlich (eigenlîche *oder* endelîche, inneclîche *H*, iegelichem *J*). drinne *H*] darinn bliebe.
3147 in manege wîs *H*] mancher weise.
3148 sælden paradîs *H*] glücklich Paradeise.
3149 (entân *Le*).
3150 Minnen plân *H*] Liebenplan.
3153 minneclicher *H*] Lieblicher.

nû flôz dar zuo der Minnen bach
3155 und hôher gnâden brunne.
si lâgen in der wunne
mit senfter unmuoze
und triben dâ vil suoze
ir vil reiniu minnewerc.
3160 von loube hetens ein geberc
daz in der Meie worhte.
des wârens âne vorhte
und pflac ir niemen über al,
wan diu vil liebe nahtegal
3165 diu was ir wahtærinne,
und klanc in von der minne
ir stimme mit gesange.
doch werte dô niht lange
ir hôhiu freude und ir gemach,
3170 wan in nâch liebe leit geschach.
Frou Minne des niht wolte enbern,
diu lange nimmer lât gewern
freude sunder arebeit.
ir alten gewonheit
3175 begunde si bewæren
mit herzeclichen swæren
an den gelieben alze fruo.
in beiden gienc ze balde zuo
nâch ir freuden ungewin.

3154 dar (in *Le*). Minnen bach *H*] Liebenbach.
3159 minnenwerc *H*] Liebewerck.
3160 hetens ein geberc *H*] hetten sie ein Berg
3161 worhte *H*] worte
3163 pflac *H*] enpflag
3166 klanc (klancte *Schr*) in von der minne *H*] sang von der Liebe jhne.
3167 (ir st. dô mit sange *Le*).
3170 wan *H*] dann.
3171 Frou Minne des ... enbern *H*] daß Frauwen Lieb ... emb.
3174 ir alten gewonheit (*HLe*, ir art u. ir g. *JG nach Spr*, ir site u. ir g. *B*).
3175 si bewæren *H*] sich gewehrn.
3177 an *H*] von.

3180 ir wunne schiere was dâ hin
und wart in ungemach gegeben.
dô si daz wünneclîche leben
alrêrst begunden üeben,
dô liez diu Minne ir trüeben
3185 sorge drunder vallen
und machte zeiner gallen
daz vil honicsüeze spil
des si dâ solten trîben vil
an der wünneclichen stat.
3190 in sprach daz ungelücke mat
in hôher sælden velde.
si kâmen dâ ze melde
und wurden zuo den stunden
bî ein ander funden.
3195 Mîn herze sol ez immer klagen
daz in sô früeje bî den tagen
ir wunne wart enzücket.
daz in doch niht gelücket
ist an ir freuden einen tac,
3200 daz ist ein dinc dâ von ich mac
sorgen unde leides pflegen.
si wâren dâ bî ein gelegen
niht alsô lange wîle
daz man rit eine mîle

3180 schiere was *H*] was schier.
3182 dô *H*] daß.
3183 alrêrst *H*] aller erst. (*Le liest* 3182f. dô sich d. w. l. a. begunde ü.)
3184 Minne ir trüeben *J nach L*] Liebe trůben (Minne tr. *H*).
3185 sorge drunder *J nach L*] s. dar under (sêr dar under *H*).
3188 des *H*] daz.
3190 in *J nach B*] er (ez *H*).
3191 in hôher sælden *J*] in hohem glůcklichem (ir hôhem sælden *H*).
3192 kâmen *H*] kam.
3195 mîn *H*] ein.
3198 doch nicht *G*] doch nie (niht ist *H*).
3199 ist *G*] *f.* freuden *H*] freude.
3202 si wâren dâ bî ein *J nach B*] sie w. bey ein da (bi ein ander w. si *H*).
3203 alsô *G*] als.
3204 man rit eine mîle *H*] mageritten hette ein wille.

3205 ê daz diu melde si verriet
und si von hôhem muote schiet
des si dâ beide pflâgen.
wan dô bî ein si lâgen,
dô wart ir sache alsô gewant
3210 daz Ritschier von Engellant
gienc ûf dem hove wachende,
lückende unde machende
einen wilden sperwer gar.
den warf er her, den warf er dar,
3215 biz er sich in die wîte enzôch
und im von ungeschihte enpflôch
schier in den boumgarten hin,
dâ die gelieben under in
bî ein friuntlîche lâgen
3220 und mit ein ander pflâgen
lieb unde kurzewîle vil.
nû daz vervluochte vederspil
tet vil maneger hande wanc
und umbe und umbe dâ geswanc,
3225 als dicke wilde vogele tuont,
ûf den boum ez dô gestuont
dar under lâgen disiu zwei.
si wâgen lîhte alsam ein ei

3205 verriet *H*] verreit.
3206 schiet *H*] scheid.
3208 wan dô bî ein si lâgen *G*] fand da sie bey ein lagen (dô si bi ein ander lâgen *H*, dô si bî ein gelâgen *J nach B*).
3212 lückende *H nach L*] tuckende.
3213 einen wilden sperwer gar *G*] gar einen wilden Sperber (einen sperwære gar *H*).
3214 her - dar *H*] hin - her.
3215 wîte *H*] weide.
3216 ungeschihte *H*] vngeschickte.
3219 bî ein friuntlîche *Le*] freundtlich bey einander (fr. beide *H*).
3221 unde] vnd.
3222 nû daz verfluochte *H*] nun mit das verfluchte (verflucte *L*, verflôchte *J*).
3226 ez dô gestuont *H*] er da stund.
3227 disiu *H*] die.
3228 alsam *H*] als.

meld unde starke huote.
3230 dâ von in wê ze muote
bî der selben zît geschach.
wande als Ritschier daz gesach
und bevant diz mære
daz im der sperwære
3235 entflogen in den garten was,
dô kam er durch den palas
geloufen alzehant dar în
und vant daz veige türelîn
offen lâzen von geschiht,
3240 wan Engelhart beslôz ez niht.
In hete sô gar diu Minne
beroubet sîner sinne
und was im zuo der frouwen sîn
sô nôt daz ime daz türelîn
3245 offen lâzen was dâ vor.
des kam geslichen ûf dem spor
Ritschier von Engellant.
ligende er si beide vant
an der minne werken.
3250 des wurdens in den serken
vil tiefer swære dô begraben.
si muosten leit nâch liebe haben
und nâch ir freuden ungemach.
geleinet er si ligen sach
3255 zein ander schône und ebene.
kein man in sînem lebene

3229 melde *H*] Milde.
3231 zît *H*] *f*.
3233 diz *H*] diese.
3239 offen lâzen von geschiht *Le*] Thürlein offen v. g. (ûf getân von ungeschiht *H*, offen stânde v. g. *J nach B*, unbeslozzen v. g. *G*).
3241 gar diu Minne *H*] hart die Liebe.
3242 sinne *H*] sinne ûbe.
3244 ime (in *Wa*).
3245 o. lâzen was dâ vor *Le*] Offen war gelassen vor (o. was g. vor *H*).
3246 ûf dem spor *H*] auff der spor.
3247 *H schiebt* dar *nach* Ritschier *ein*.
3249 minne *H*] Lieben.
3250 in *H*] an.

envant nie wünneclicher leger
dan Engelhart der minnen jeger
und Engeltrût dâ funden.
3260 si lâgen bî den stunden
mit armen umbeslozzen
und hæte si begozzen
der vil reinen minne tou,
daz si vil tiure sît gerou
3265 dô man ir beider wart gewar.
waz truoc Ritschieren dar?
daz in got verdamne!
si kunden sich zesamne
sô rehte nâhe mischen
3270 daz kûme ein hâr dâ enzwischen
mit fuoge möhte sîn gelegen.
mit freuden freude widerwegen
was von in beiden an der zît,
und hæte an in der minne strît
3275 nâch wunsche ein ende dô genomen.
dô Ritschier über si was komen
und er si ligende alsô vant,
zornes wart sîn herze ermant
und sîn ungetriuwer muot.
3280 'weizgot' sprach er dô, 'diz ist guot.
frou niftel und her Engelhart,
des küneges êre ist wol bewart
mit iu beiden allez an.'
sus gienc er zorneclichen dan
3285 und liez den sperwære dâ.
si möhten lieber anderswâ

3257 envant nie wünneclicher *H*] erf. n. wuniglich.
3258 minnen *H*] Lieben.
3259 Engeltrût *H*] Engelhart.
3263 minne tou *H*] Lieben thon.
3264 gerou *H*] gethon.
3266 (nû, w. tr. *G*, w. tr. nû *Le*).
3270 kûme *H*] keinem. enzwischen *Le*] zw.
3274 an in der minne *H*] an jr d. Lieben.
3275 dô *H*] *f.*
3280 dô *G*] *f.*
3284 sus *H*] so.

an dirre stunde sîn gelegen.
ir freude liezens under wegen
und stuonden ûf erschrocken,
3290 als man die sturmglocken
hæt über si geliutet.
niht langer wart getriutet
von in beiden, wizze Krist.
enblanden wart in an der frist
3295 sô vaste muot, herz unde sin
daz si wâren under in
verstummet an den stunden
und niht gereden kunden.
Red unde muot was in gelegen.
3300 iedoch kam Engelhart der degen
ze muote und ouch ze rede wider.
jæmerlichen sprach er sider
ze sîner lieben frouwen guot
'ach frouwe, liebez herzebluot,
3305 wer hât uns vermeldet hie?
von welhen sachen oder wie
wart unser tougen offen?
uns hât ze schiere troffen
ein harte schedelich geschiht,
3310 sît daz doch unser freude niht
moht einen halben tac gewern.
und obe danne uns niht verbern
daz ungelücke ensolte:

3287 dirre *G*] der.
3289 ûf erschrocken *H*] auff gantz erschr.
3290 als man *H*] als man nu.
3292 wart *H*] jn wart.
3294 enblanden *HLe*] ein Plan (enpfallen *JG nach L*, enpflohen *Spr*).
3295 muot herz unde sin *G*] mit Hertz vnd mit Sinn (ir herze unde ir sin *H*).
3297 verstummet *J* (verstumbet *H*).
3299 in *H*] *f*.
3301 ouch *H*] *f*.
3307 tougen *H*] heimlichkeit.
3308 hât ze schiere *J*] hett sich (hât sicher *H*, hât schiere *Spr*).
3311 einen *H*] ein. gewern. *J* (*ohne Punkt H*).
3312 und obe danne *J*] vnd ob das (unde daz *H*).
3313 ensolte: *J* (ensolte. *H*).

ach daz uns hie wolte
3315 diu leide huote væren!
wir sîn ze herzen swæren
nâch alze kurzer liebe komen.
ein trüebez leit hât uns benomen
der vil liehten freuden schîn.
3320 sprechent, herzefrouwe mîn,
waz râtet ir ze dirre nôt?
jâ weiz ich alse mînen tôt
daz uns vermelde dirre man,
daz ich ze rehte niht enkan
3325 gedenken waz ich drumbe tuo.
frouw, ir enrâtent mir dar zuo,
sô bin ich gar verirret.
mîn herze sich nû wirret
in sorgen zweier hande,
3330 ob ich von deme lande
bî dirre zîte welle varn
oder ich die reise welle sparn.
Belîbe ich hie, daz ist mîn tôt:
so ist aber daz ein grôziu nôt,
3335 ob ich zehant von hinnen var.
wan iuwer hôhiu wirde gar
ze pfande muoz dar umbe ligen.
des man uns leider hât gezigen
ûf einen zwîvellichen wân,
3340 daz wil der künic danne hân
für eine ganze wârheit,

3314 ach *H*] auch.
3315 væren *H*] jrren.
3316 swæren *H*] schweren.
3317 nâch alze *G*] noch ze (nach vil *H*, nâch ze *J*).
3320 sprechent *H*] sprachend.
3324 ze *G*] *f*.
3325 drumbe *H*] darumb.
3326 enrâtent *H*] entrahtend.
3330 deme *G*] dem.
3331 dirre *H*] důrre.
3332 oder (od *H*). reise welle *H*] reiß wil.
3334 ein grôziu (michel *Schr*) *H*] mein groß.
3335 von *H*] von von.
3338 des *H*] das.
3339 zwîvellichen *H*] zwifaltigen.

und wirt dâ mite hin geleit
iuwer lop und iuwer prîs.
mîn vorhte ist grôz in manege wîs
3345 wie ich alsô gewerbe
daz niht an uns verderbe
mîn lîp und iuwer êre.
ich fürhte ir beider sêre,
und ist mîn angest grœzer noch
3350 umb iuwer hôhen êre doch
weiz got dan um mîn selbes lîp.
nû râtent an, vil sælic wîp,
daz wægeste und daz beste.
daz leit ist gar ze veste
3355 daz wir beide an disen tagen
nâch kurzer freude müezen tragen.'
Von disen klageworten
diu frouwe zallen orten
vil inneclichen trûrte.
3360 diu schœne ouch understûrte
mit wîzer hende ir wange rôt.
'herre' sprach si, 'dir ist nôt
daz dû dir selbe râtest baz
dan ich, vil reinez tugentvaz,
3365 alhie gerâten künne dir.
red unde muot, diu zwei sint mir
enpfallen alsô sêre

3344 mîn vorhte ist grôz in manege wîs *H nach L*] mein Frauw ist gr. in mannich w.
3345 wie *H*] wie daß.
3347 lîp *H*] Lob.
3348 ich fürhte *H*] in forchten.
3350 hôhen *H*] hohe.
3352 nû râtent an, vil sælic wîp *H*] nun r. an mein seliges W.
3354 gar (vil *Le*).
3359 vil *Le*] Gar. trûrte *H*] theuwere.
3360 understûrte *H*] vndersteuwrete.
3361 mit wîzer hende ir wange rôt *H*] mit weißen Henden jr Wangen r.
3363 selbe *H*] selber.
3364 dan – reinez *H*] das – reine.
3365 künne *H*] kůndte.

daz mir guotiu lêre
tiure ist worden unde rât.
3370 mîn herze sinnes niht enhât
dâ von ich dir gerâten müge
alsô daz es uns beiden tüge.
Swie gar ich aber worden sî
râtes und lêre frî,
3375 sô lêre ich unde râte doch
daz dû von deme lande noch
bî dirre tagezîte varest
und dîn jungez leben sparest
vor mînes vater zorne.
3380 dîn lîp der ûz erkorne
und dîn vil tugentrîcher muot,
dar umbe ist immer alsô guot
daz dir niht arges hie geschehe.
vil bezzer ist daz man mich sehe
3385 verderben an den êren
dan iemen dich versêren
an dem lîbe welle.
herzetrût geselle,
ich wirde lieber schamerôt
3390 dan ich dich vor mir sehe tôt
oder anders eine swære tragen.
man tœtet mich bî disen tagen
um sus getâne schulde niht:

3368 guotiu *H*] gute (beidiu *J*).
3369 tiure – unde *H*] dûrre – one.
3371 dâ von *H nach L*] dann was.
3372 alsô daz ez *H*] als d. ich.
3376 deme *G*] dem.
3378 (und dû dîn *G*).
3379 vor *H*] von.
3380 dîn *H*] der.
3381 dîn vil tugentrîcher *H*] den v. tugentreichen.
3382 dar umbe ist immer alsô guot *G*] darumb i. es j. also g. (der wirde ist immer alze guot *L*, dar umb ist ez i. guot *H*, um die sô ist ez i. g. *J*).
3383 dir (in *L*).
3384 ist *H*] ists.
3386 dich *H*] sich.
3389 wirde *H*] wûrde.
3390 sehe *J nach Wa* (sihe *H*).
3391 oder (od *H*).
3393 um sus *H*] vmb solch.

daz aber balde dir geschiht,
3395 ob man dich hie begrîfen kan.
dar umbe ich, herzelieber man,
ûz inneclichem muote ger,
swie rehte kûme ich dîn enber,
daz dû von hinnen kêrest
3400 und niht uns beiden sêrest
herze, leben unde lîp.
wan zwâre, ich bin des Tôdes wîp
und muoz vil schiere in jâmer sweben,
verliusest danne dû daz leben.'
3405 'Genâde, frouwe' sprach er dô:
'ir râtet unde lêret sô
daz ich iu niht wan guotes gihe.
ich prüeve an iu wol unde sihe
daz iu mîn kumber tæte wê.
3410 swie mir ez aber drumbe ergê,
die fluht wil ich vermîden
und mit iu gerne lîden
swaz mir ze lîdenne geschiht.
wan ich enmac genesen niht,
3415 swenn ich von hinnen kêre.
mîn lîp gît mir die lêre
daz ich vor leide stirbe,
dar umbe ich hie verdirbe

3394 balde dir *H*] dir balde.
3397 ger *H*] gar.
3398 kûme *H*] kûnne.
3399 daz dû *H*] darzu.
3400 niht uns beiden sêrest *H*] mit vns beyde fûrest.
3402 bin *H*] *f.*
3403 und muoz vil schiere in jâmer sweben *G*] mit dir sicher jammer sehen (u. muoz in jâmersühte sw. *H*).
3304 verliusest *H*] verleurest.
3407 iu niht wan *H*] nicht das.
3410 mir ez aber drumbe ergê *G*] es mir aber dar. e. (*H*, aber ez mir drumbe. e. *B*, aber ez mir darumbe e. *J nach Schr*).
3413 ze lîdenne *H*] zu leide (ze leide hie *J*).
3417 vor leide stirbe *H*] für l. stûrbe.
3418 verdirbe *H*] verdûrbe.

sô rehte gerne als anderswâ.
3420 den tôt lîd ich billîche dâ
dâ mir gewesen ist sô wol
daz mir von keinem dinge sol
niender alsô wê geschehen.
ich wil des gote hie verjehen,
3425 ob ich durch iuch nû tôt gelige,
daz ich dâ mite widerwige
vil kûme daz vil senfte leben
ze wunsche mir von iu gegeben
ê man uns beide fünde alhie.
3430 der alliu dinc hiez werden ie
der füege swaz sîn wille sî.
des hoves wirde ich nimmer frî
ê mir iht anders wirt gesaget.
swer fliuhet ê daz man in jaget,
3435 entriuwen, der ist niht ein man.
ob ez mich iht gehelfen kan,
ich wil mîn lougen bieten
und wil mich rede nieten
daz wir beide unschuldic sîn.
3440 daz selbe tuot ir, frouwe mîn,
vil lîhte uns got die sælde gît

3419 sô rehte *G*] als (alsô *H*).
3423 niender *Le*] Nimmer. wê *J* (wol *H*).
3424 des *H*] das.
3425 nû *G*] *f.*
3427 vil kûme daz vil senfte *H*] gar kůne das sanffte.
3428 ze wunsche mir von iu gegeben *J*] zwischen mir vnd dir gar eben (daz von iu mir was gegeben *H*).
3430 hiez *Le*] liesz.
3433 iht anders wirt *H*] jhts a. werd.
3434 ê daz man *H*] ehe man.
3435 entriuwen *H*] bey glauben (bînamen *J nach B*).
3436 iht gehelfen *H*] etwas helffen.
3437 lougen *H*] sorge.
3438 wil mich rede *Le*] wil mich der rede (mich der r. *H*).
3441 die sælde gît *H*] das glůck geit.

daz unser trûren wider gelît.'
'Herre, nû beschirme uns got'
sprach Engeltrût ân allen spot
3445 ûz inneclichem muote.
'der habe in sîner huote
mîn êre und dînen jungen lîp.'
hie mite wart daz schœne wîp
gescheiden und der werde man.
3450 Engelhart der gienc hindan
trûrende unde klagende,
sîn herze in angest zagende
was umbe ir zweier scheiden.
vil wê tet ez in beiden
3455 daz er sich muoste von ir steln.
si kunden nâch ein ander queln
als nâch der brust ein kindelîn.
ez ist noch der geloube mîn,
swer dô gespalten hæte enzwei
3460 ir beider herzen als ein ei,
ez wære bî den stunden
in iegelichem funden
des anderen figûre
mit golde und mit lasûre
3465 gebildet und gebuochstabet.
wart ûf erden ie gehabet
durch ganze liebe minne,
diu was ouch in ir sinne
versigelt und beslozzen.
3470 der ritter unverdrozzen
kam ûf den hof gegangen.

3442 unser trûren wider (*urspr.* noch) gelît *J*] vns trauwren werde geleit (unser tûrekeit gelît *H*, unser trûren hin gelît *B*).
3445 inneclichem *H*] wunniglichem.
3453 was *J nach B*] *f.*
3454 tet *H*] *f.*
3459 dô *G*] *f.*
3460 herzen als ein ei *H*] Hertz als wie ein Ey.
3462 in iegelichem *H nach L*] gar eigentlichen.
3467 durch ganze liebe minne *J*] d. gantze Liebe vnd M. (durchganziu liebe und m. *H*).

mit jâmer umbevangen
was sîn tugentrîcher muot.
nû was ouch der künic guot
3475 erwachet zuo den stunden,
und hæte in Ritschier funden
vor sînem bette stânde.
er kam dâ für in gânde
durch vermelden und durch sagen.
3480 er wolte im künden unde klagen
daz er Engelharten
dort in dem boumgarten
bî sîner Engeltrûte vant.
als iu dâ vorne wart bekant,
3485 sô truoc er dem getriuwen haz,
durch anders niht wan umbe daz
daz er ze hove was sô wert.
dâ von sô hæte er ie gegert,
daz er im al sîn êre
3490 verdrücken möhte sêre
mit ernestlichen sachen.
er wolte in gerne machen
an sîner starken wirde kranc.
sîn herze in hôhem muote ranc
3495 und hæte freudebæren sin,
durch die schulde daz er in
vermelden möhte bî der stunt.
er tet ûf sînen falschen munt
vil ungetriuwelîche alsô.
3500 'herre und œheim' sprach er dô,
'getar ich unde sol mit iu

3473 was sîn *H*] daß sein.
3477f. stânde: gânde *H*] stahn: gahn.
3484 vorne *G*] vornen.
3485 dem *H*] deß.
3486 umbe daz *H*] vmb vnd daß.
3488 gegert *Le*] begert.
3489 al *G*] *f*.
3495 hæte freudebæren *H*] in freudenbaren.
3497 vermelden *H*] verleumden.
3498 (ûf tet er *Le*).
3501 getar ich unde sol mit iu: driu *H*] darff ich vnd sol mit dir frey: drey.

zwei wort hie reden oder driu,
sô merket waz ich welle sagen.
ich wil iu künden unde klagen
3505 ein dinc daz iu vil nâhe gât
und iuwer lop geswachet hât
vil ûzer mâzen sêre.
swaz iuwer hôhen êre
krenket unde nider leit,
3510 würd iu daz niht von mir geseit,
sô würbe ich anders danne ich sol.
ir sult von mir ze rehte wol
vor schanden sîn gewarnet.
daz hât ir schône erarnet
3515 und wol verschuldet wider mich.
vil werder künic lobelich,
iuwer friunt, her Engelhart,
hât iuwer êre niht bewart,
als er ze rehte solte,
3520 ob er bedenken wolte
waz ir im liebes hât getân.
geloubet, herre, sunder wân
und wizzet von mir über lût
daz iuwer tohter Engeltrût
3525 hât ir muot ûf in gewant.
ligende ich si beide vant
in der süezen minne spil.
seht herre, des ist im ze vil,
welt irz betrahten rehte.
3530 ûz einem swachen knehte
hât ir gemachet einen voget.
er ist ze schanden iu gezoget

3505 vil *G*] gar.
3507 ûzer mâzen *H*] auß der maßen.
3509 krenket *H*] rancket.
3512 ir sult von mir ze rehte *G*] ze *f*. (ir sulet von mir r. *H*, ir sult hie von mir r. *J*).
3521 hât *G*] habet, *und so immer die zusammengezogenen Formen.*
3527 minne spil *H*] wunnespiel.
3528 seht herre *J nach B*] sicher. des *H*] das.

her in des landes umberinc.
ez ist noch ein bewæret dinc,
3535 sô man den fremden hunt ze vil
streichen unde triuten wil,
daz er enblecket sînen zan.
sô hât ir einen fremden man
gestreichet und getriutet,
3540 der iu nû laster biutet
und iuwer lop hie nideret,
und wirt ez niht gewideret,
iuwer küneclicher prîs
geswachet ist en alle wîs.'
3545 Der künic von dem mære
wart dô vil zornbære
und ûzer mâzen leidec.
ichn würde niht meineidec,
swüer ich dar umbe tiure
3550 daz in des zornes fiure
sîn herze vaste gluote,
wan in sô sêre muote
an Engelharte diu geschiht
daz er enmohte sprechen niht
3555 in langer wîle ein wörtelîn.
er hæte in als daz leben sîn
geminnet und gemeinet ê.
dâ von sô muote in deste mê
daz er sô wider in gewarp.
3560 sîn antlitze rehte erstarp

3533 her in *H*] Herr in.
3536 streichen unde triuten *H*] streicheln vnd trauwen.
3537 enblecket *H*] jn blekket.
3539 gestreichet und getriutet: biutet *H*] gestreichelt vnd wol getreuwet: beutet.
3544 en *H*] on.
3545 dem *H*] der.
3546 dô *G*] *f*.
3547 ûzer mâzen *H*] auß der m.
3552 wan *H*] dann.
3554 enmohte sprechen *J nach B*] sprechen entmochte (spr. mohte *H*).
3556 als *H*] also.
3557 geminnet *H*] geliebet.
3558 in *H*] jm.

von leide und ouch von zorne.
daz houbet er dâ vorne
begunde neigen hin ze tal.
sîn herze ûf ungemüete swal
3565 unde ûf bitterlichen haz.
nû als er lange dâ gesaz,
vil zorneclichen sprach er dô
'hât mir her Engelhart alsô
geswachet al mîn êre,
3570 sô wil ich nimmer mêre
getriuwen keinem manne.
ûf wen sol ich mich danne
hôher triuwe hie versehen,
sît mir von dem ist leit geschehen
3575 des ich ze guote nie vergaz?
er möhte wol ein wênic baz
her gegen mir geworben hân.
daz beste hân ich im getân
des ich geflîzen kunde mich.
3580 dar wider hât er vaste sich
vergezzen an der tohter mîn.
sît daz er nû die triuwe sîn
an mir sô gar zerbrochen hât,
sô muoz er sîner missetât
3585 engelten, wan er sol sîn leben
und den lîp dar umbe geben.'
Dô hiez er balde gâhen
und bat den werden vâhen
vil schiere bî den stunden.

3564 sîn herze ûf ungemüete swal *G*] sein Hertz vor vngemuhte schwal (s. h. in ung. sw. *H*).
3565 unde ûf *H*] vnd sein Hertz auff.
3566 lange dâ *H*] da lange.
3567 vil *Le*] Gar.
3576 er möhte wol *H* (benamen er möhte *J*).
3577 her gegen mir *B*] sicher gegen m. (gegen m. *H*, wol g. m. *J*, her ze mir *Spr*).
3581 vergezzen (vergâhet *H*).
3585 wan *H*] dann.
3586 den (sînen *Schr*).
3588 vâhen *H*] zu fahen.

3590 sîn lîp der wart gebunden
in ringe starc von stahele.
sîn herzetrût gemahele
entweich ir vater von dem wege
und hæte jâmer in ir pflege
3595 umb Engelhartes ungemach.
daz ir daz herze niht zerbrach
daz was ein grôzez wunder,
wan ir sîn leit besunder
enmitten in ir sêle dranc.
3600 ir hende lûter unde blanc
sluoc si zesamen unde sprach
'got, aller sælden überdach,
gedenke an mich vil armez wîp
alsô daz mînes friundes lîp
3605 von dîner kraft beschirmet wese.
hilf, herre got, daz er genese:
durch daz ich immer diene dir.
tuo dîn erbarmunge mir
und dîne reinen güete schîn.
3610 genædeclicher herre mîn,
verdirbet er, sô bin ich tôt.
owê daz mich von dirre nôt
mîn vater leider niht enbant!
ich wolte gerne in sîner hant
3615 um den lîp gevangen ligen.
wes hât Unsælde uns nû gezigen
daz wir zesamene komen sîn?

3594 ir *H*] Ehren.
3597 grôzez (michel *Schr*).
3598 sîn *H*] sinn.
3599 enmitten *G*] mitten.
3602 aller sælden *H*] alles glückes.
3606 got *H*] *f*.
3607 durch daz ich *B*] drumb daß ich (darumbe ich *H*, daz ich drumb *J*).
3609 dîne *H*] deiner.
3612 von dirre *G*] diese (dirre *H*).
3613 enbant *G*] entbaht (enbat *H*).
3614 in sîner hant *G*] an s. that (an sîner stat *H*).
3615 um] vmb (ûf *H*).
3616 wes hât Unsælde *H*] was hat vnglůck (*J betont* wés hât Unsæld). nû *G*] *f*.

ach herzetrût geselle mîn,
wie sol ez umbe dich gevarn?
3620 got selbe welle dich bewarn,
und müeze dir sîn hôher segen
an êren unde an lîbe wegen.'
Alsô bat si vil tougen
mit herzen und mit ougen
3625 got unmâzen tiure
daz sîn vil hôhiu stiure
würd Engelharte erscheinet.
ouch wart er wol beweinet
ze hove und ûf dem lande.
3630 swer in ouch ie erkande,
der klagete in dô gewisse.
durch sîne vancnisse
wart jâmers vil begangen.
iedoch was er gevangen
3635 niht ze langer zît alsô,
wan der milte künic dô
von sînen ræten wart gebeten
daz er in für in lieze treten
und er vernæme sîne schult.
3640 'herre' sprâchen si, 'ir sult
in ze rede lâzen komen.
swenn ir hât sîniu wort vernomen,
ob er dann unschuldic wese,
sô günnet im daz er genese
3645 und lât in ungenâden frî.
ist aber daz er schuldic sî,
sô rihtet über in alzehant.

3619 gevarn *H*] gebarn.
3620 selbe *H*] selber.
3622 unde an *H*] vnd.
3629 ûf (in *Le*).
3632 vancnisse *Schr*] Gefengknisse.
3633 jâmers *H*] jammer.
3635 langer *J nach Wa*] lange.
3637 von sînen ræten *H*] von sein reden.
3638 für *H*] vor.
3640 sprâchen si ir sult *H*] sprach sie jr entsolt.
3642 swenn ir hât sîniu *H*] dann jr habt sein.
3646 ist *H*] ists.
3647 alzehant(zehant *Schr*).

uns allen ist daz wol bekant
daz manic man ze maneger zît
3650 verlogen wirt durch argen nît.
dar an gedenket, herre guot.
ob in durch sînen valschen muot
iemen ziu verlogen hât,
sô wære iu daz ein missetât,
3655 ob er den lîp alsô verlür
daz ir in niht enliezent für
ze rehte noch ze rede komen.
getriuwer künic ûz genomen,
vergâhet iuch ze sêre niht.
3660 ez wære ein klegelich geschiht,
verdürbe alsô der guote.
er hât iuch in dem muote
sô rehte liep gehabet ie
daz wir gelouben daz er nie
3665 getæte wider iuch benamen.
sîn zunge müeze im noch erlamen,
swer in ziu verlogen habe.'
sus nâmen si den künec dar abe
daz er in tœten niht enhiez
3670 und in ze rede komen liez.
Er wart vil schiere enbunden
und bî den selben stunden
für den werden künic brâht.
er hæte sich des wol bedâht

3650 verlogen – nît *H*] verleumbde – ment (vermeldet *B*).
3653 ziu verlogen *H*] zu euch verleumbdet.
3657 noch ze *J*] vnd (und ouch ze *H*).
3659 vergâhet *H*] vergreiffet.
3662 iuch *H*] auch.
3665 getæte *G*] thete (tæte *H*). benamen *H*] bey Namen.
3666 noch erlamen *H*] nach flammen.
3667 ziu verlogen *H*] zu euch verleumbdet.
3668 sus nâmen – dar abe *H*] so nommen – drab.
3670 ze rede *H*] zu reden.
3671 vil *G*] gar.
3673 für *H*] vor.

3675 daz er sîn lougen vaste büte.
swie gar sîn herze in leide süte,
doch was sîn muot vil unverzaget.
alsam ein sinne rîchiu maget
sîn ûz erwelten hende blanc
3680 gezogenlîche er für sich twanc
und stuont ân alle vorhte.
sîn manheit im dô worhte
manlichen unde vesten muot.
reht als ein milch und als ein bluot
3685 vil wol gemischet under ein,
sîn varwe ân allen wandel schein,
daz si nie verkêrte sich.
der künic reine und lobelich
sach in zorneclichen an
3690 und sprach als ein beswæret man
'ich wânde niht, her Engelhart,
daz mîn êre als unbewart
mit iu wære, sam mir got.
ir hât in schemelichen spot
3695 vil sêre mich geworfen hie,
daz ich umb iuch gediente nie
sît ir ze hûs sît komen mir.
ich hæte an iuch mîns herzen gir
geleit und allen mînen flîz.
3700 nû bin ich gar in itewîz

3675 lougen vaste büte: süte *H*] leugnung f. bot: sot.
3677 muot vil unverzaget *H* [*Anm.*] *nach L*] nicht viel verzagt.
3678 alsam] also (als *H*). sinne *H*] schône.
3680 er *H*] *f.*
3691 wânde *Le*] dachte (dâhte *seit H*). niht *H*] *f.*
3692 unbewart *H*] vmb ward.
3693 sam mir got *H*] so helff mir G.
3694 ir hât in schemelichen [*nach Schr*] spot *G*] ihr habt vnsågelichen sp. (i. habet i. smæhelichen sp. *H*).
3696 iuch *H*] dich. gediente *Le*] verdiente.
3697 ze hûs sît komen mir *J nach Schr*] z. h. kommen m. (ze hûse kôment mir *H*).
3699 allen *H*] alle.
3700 in itewîz *H*] vnweiß.

und in laster an iu komen.
den lôn hân ich von iu genomen
ze danke und ouch ze solde.
ir hât mir gegen golde
3705 kupfer unde blî gewegen.
künd iuwer herze hân gepflegen
hôher stæte sunder haz,
ich solte mîner triuwe baz
nû wider iuch genozzen hân.
3710 deiswâr ich habe iu sô getân
daz ir niht soldet hân gegert
ze minne mîner tohter wert
die man sô wirdeclichen zôch.
si was ze friuntschaft iu ze hôch
3715 und zeiner tougenlichen brût.
und zwâre sît daz Engeltrût
hât übergangen mîn gebot,
sô muoz si darben, sam mir got,
des daz si von mir erben sol.
3720 ouch wirt an iu gerochen wol
daz ir mir al mîn êre
gekrenket hât sô sêre.'
Engelhart der guote
mit unverzagetem muote
3725 der rede er im antwürte bôt.
'herre' sprach er, 'mir ist nôt
daz iuwer küneclicher haz
mich fliehe und iuwer güete baz
begnâde mich ze dirre zît,
3730 wan ir mir ungenædic sît

3704f. (ir habet engegen golde mir k. *Le*).
3709 nû wider iuch *G*] wider von euch (wider iuch *H*).
3710 deiswâr *H*] das ist.
3711 soldet *H*] sollet. gegert *Le*] begert.
3712 ze minne *H*] zu liebe.
3713 wirdeclichen *G*] hertziglichen (zerteclichen *H*).
3715 tougenlichen *H*] tugentlichen.
3718 sam *H*] helff.
3719 des *G*] *f*.
3725 antwürte *H*] antwort.
3730 wan *H*] dann.

ân alle mîne schulde.
herr, ich hân iuwer hulde
sunder missetât verlorn.
vil werder künic hôchgeborn,
3735 gewaltec unde mehtec,
ich wære vil ze unehtec
und dar zuo lîhte gar ze kranc
daz immer solte mîn gedanc
ûf iuwer tohter sich gewenen.
3740 wolt ich mich nâch ir minne senen,
sô koufte ich gerne herten schimpf
und wolte in grôzen ungelimpf
vallen unde sîgen.
der werke ich wil verswîgen:
3745 ê daz ich gedæhte
daz si vollebræhte
mînen willen immer,
ê wolte ich freude nimmer
noch sælekeit geschouwen.
3750 ich bæte mîne frouwen
ungerne keiner dinge
dâ von ir misselinge
möht en êren ûfgestân.
ouch hât ir mir sô wol getân
3755 daz ich schiere stürbe
ê daz ich, herre, würbe
mit willen iuwer laster.
ich hæte triuwen vaster
vergezzen unde rehter tugent
3760 dan ie getæte mannes jugent,

3737 lîhte gar *G*] gar viel (vil gar *H*, lîhte vil *J Anm.*).
3740 wolt – minne *H*] thet – Lieb.
3745 (*G schiebt* des *nach* ich *ein*).
3749 noch sælekeit geschouwen *H*] nach s. schauwen.
3753 (an den ê. *G*. stân *Le*).
3755 schiere *Le*] sicher (*H*, schierer *JG nach B*).
3758 hæte triuwen *H*] wollte trauwen.
3759 rehter *H nach L*] reicher.
3760 getæte *H*] thete.

sô ich gedâht enhæte niht
daz mich iuwer grôziu pfliht
sô wirdeclichen hât gezogen.
er hât durch sînen munt gelogen,
3765 swer mich durch sîne missetât
wider iuch vermeldet hât
und ûf mich seite disiu dinc.
als ein getriuwer jungelinc
wil ich bewæren daz ich hân
3770 daz beste wider iuch getân
des ich geflîzen kunde mich.
vil werder künic lobelich,
dar an geruochent hiute sehen.
hât iemen ihtes iu verjehen,
3775 des engeloubet niht durch got,
wande ich iuwer hôch gebot
an keiner stete nie zerbrach.
swer iu disiu mære swach
z'ôren brâhte, künic wert,
3780 der hât des schaden mîn gegert
und gunde iu lützel êren.
mîn leben wolte er sêren
unde mîner frouwen
rîchez lop verhouwen
3785 dar inne ir jugent blüejet.
wan deiz mich sêre müejet
daz si ze worte komen ist,
sô verklagte ich, wizze Krist,
den schaden mîn gar harte wol.

3761 sô *J nach Wa*] wann (swenn *H*). gedâht enhæte *H*] gethar thete.
3762 grôziu (michel *Schr*).
3763 hât gezogen *G*] hat er gezogen (hât erzogen *H*).
3766 vermeldet *H*] verleumbdet.
3767 seite *H*] seit.
3775 engeloubet *H*] entglaubet.
3778 disiu *H*] die.
3779 z'ôren brâhte *H*] zu Ehren brechte.
3780 gegert *Le*] begert.
3783 frouwen *H*] Jungkfrauwen (*BG nach dem Dr.*).
3786 deiz *H*] deß.
3787 ze *H*] von.
3788 (*G setzt* seht *vor* sô *ein*).
3789 gar (vil *Le*).

3790 ob ich den lîp hier umbe sol
verlieren unde ligen tôt,
daz dunket mich ein kleiniu nôt
engegen dirre swære mîn
daz diu werde künegîn
3795 verdirbet an ir prîse.
diu klâre und ouch diu wîse
vil gar ze sælic ist dar zuo
daz iemen ir des iht getuo
daz ir êren schade sî.
3800 vil bezzer wære daz mîn drî
würden in den tôt gejaget
dan si vil küneclîchiu maget
ir hôhen wirden reine
verliesen solte ein kleine.'
3805 Diz wâren Engelhartes wort.
nû stuont engegenwürtic dort
ouch Ritschier von Engellant.
ze deme sprach der künec zehant
'waz wiltû, veter, daz ich tuo?
3810 sag an, waz redestû dâ zuo
daz dirre guote herre
sô vaste und alsô verre
sîn unschulde hât geboten?
dû muost in grôzer schame roten,
3815 kanstû dar wider niht gesagen.'
'sîn rede mac in für getragen
kleine' sprach Ritschier iesâ.
'die lüge helfent wênic dâ

3793 engegen *Le*] Gegen.
3796 und ouch diu wîse *G*] und d. w. (*H*, und diu vil wîse *J nach B*).
3797 vil *G*] *f*.
3798 daz iemen ir des iht getuo *G*] d. ir iemen deß etwas thu (d. ir iemen des iht tuo *H*).
3800 wære daz mîn drî *H*] wers d. meiner drey.
3806 nû stuont *H*] nun stunde. engegenwürtic *G*] gegenwertig (engegenwertic *H*, engegenwerte *J nach Wa*).
3813 geboten: roten *H*] gebeten: reden.
3817 kleine *GSchr*] wênic. iesâ: dâ *H*] so: do.

dâ man die wâren schulde weiz.
3820 daz er mit Engeltrûte fleiz
minn unde trûtschefte sich,
herre unde veter, daz hân ich
gesehen mit den ougen.
dâ von mac er sîn lougen
3825 lân belîben under wegen.
zewâre er hât gên iu gepflegen
der dinge der nîht êre ensint.
wan ir und iuwer liebez kint
geswachet immer sît dâ mite.
3830 ir hât getriuwelîche site
erzeiget ime, daz wizze got.
dar gegen hât er iuch in spot
geworfen, tugentrîcher helt.'
'ir saget, herre, daz ir welt'
3835 sprach der bescheiden Engelhart.
'diu wârheit an mir wirt gespart
und wirt unrehte ûf mich geseit.
seht herr, iuwer edelkeit
hât ir geswachet sêre
3840 und an mir iuwer êre
gevelschet alze starke.
sît ich ze Tenemarke
mîns herren hof hie suochte
und sît er mîn geruochte
3845 ze sînem ingesinde alhie,
sît hânt ir mir getragen ie
stæten haz ân alle schult.
dar umbe ir noch ze rehte sult
mit arge ûf mîme rücke ligen.
3850 ir soldet mich hân des gezigen

3821 minne *H*] Liebe.
3825 lân belîben *H*] lassen bleiben.
3827 der niht *J nach B* (diu niht *H*).
3832 er *H*] *f.*
3833 helt *H*] *f.*
3834 welt *H*] werd.
3838 seht herr *G*] sicher (*H*, benamen *J*).
3845 ze sînem *R*] zu einem (zeinem *H*). ingesinde *H*] Gesinde.

daz ich stæle alsam ein diep.
wan zwâre, ist iu mîn herre liep,
als er iu sîn ze rehte sol,
sô möhtent ir mich anders wol
3855 dann alsô verlogen hân
daz sîn tohter wol getân
ze worte mit mir wære komen.
si hât vil schaden des genomen
daz mich hazzet iuwer lîp.
3860 diu reine maget wart nie wîp
und muoz behalten doch den namen.
des muget ir iuch immer schamen
daz ir daz hât gemachet
und alsô hât geswachet
3865 des küneges êre und iuwer zuht.
mîn frouwe, diu vil reine fruht,
mîn hât engolten alze vil,
ob man ez dâ für haben wil
daz ich ir friedel worden sî.
3870 nein, ich bin ir minne frî,
daz weiz got aller beste.
swer mich dar über geste
ir lîbes und ir friuntschaft,
den velle got mit sîner kraft
3875 an êren unde an sælekeit.
hæt iemen anders diz geseit
der mîn gelîche wære,

3851 alsam ein diep *J nach B*] gleich als Dieb (sam ein d. *H*).
3853 er iu sîn ze rehte sol *H*] euch zu rechte sein s.
3855 verlogen *H*] verleumbdet.
3857 worte *H*] worten.
3861 behalten doch den namen *H*] bhalten doch bey N.
3865 êre *H in Anm. nach L*] *f.* (*B*).
3867 engolten *H*] in Golde.
3870 minne *H*] Liebe.
3872 darüber geste (*Wa* dar über *oder nach L* dar under leste *H*, dar wider leste *J*).
3873 lîbes (liebes *Le*).
3874 den velle *H*] dem wôlle.
3877 mîn gelîche *H*] meins gleichen.

ich hieze in lügenære
und rette mit im verre wirs.
3880 herre, nû geloubet mirs,
wæret ir ein künic niht
von Engellant, des man iu giht,
dâ würde iht anders ûz benamen
daz ir den künic hât ze schamen
3885 sô vaste brâht bî dirre zît.
sus muoz ich swîgen: wande ir sît
alhie ze hove baz dan ich.
und sô gesippet über mich
daz ich leider niht getar
3890 entsliezen mînen willen gar.'
'Waz touc diu rede?' sprach Ritschier.
'gegen dem mete sûrez bier
hât ir geschenket mîme neven
und um den süezen wîn von Cleven
3895 apfeltranc vil bitter.
er machte iuch hie ze ritter
ûz einem snœden knehte.
des hât ir ime unrehte
gelônet, mîn her Engelhart.
3900 sîn tohter edel unde zart
ist worden iuwer tougen brût.
weizgot daz wil ich über lût
sagen ûf iuch beide.
durch liebe noch durch leide
3905 lâz ich die wârheit under wegen.
ir sît ir nâhe bî gelegen
dort in dem boumgarten.
wil sîn der künic warten,
den boum ich im noch zeige
3910 dar under iuwer veige

3879 verre *H*] were.
3883 iht *H*] was.
3884 hât *H*] *f*.
3885 vaste brâht *H*] fast hat br.
3886 sus *H*] so.
3888 gesippet *H*] gesinnet.
3892 (engegen *Le*).
3901 tougen *J nach Schr*] heimlich.
3907 dort in dem *G*] dort in jenem (in jenem *H*).

minne wart zeim ende brâht.
diz mære hân ich niht erdâht,
wan ich nie keinen man verlouc.
mîn sperwære mir enflouc
3915 ûf daz rîs dar under
diu Minne schuof ir wunder
an iu beiden, wizze Krist.
dâ von sô kam ich an der frist
dar über iuch gegangen
3920 und wolte hân gevangen
mînen vogel dâ zehant.
dô wart ich von iu zwein erwant
alsô daz ich sîn niht envienc
und wider danne zornic gienc
3925 alsam ein man der hât gesehen
ein dinc dar an im ist geschehen
leides ûzer mâzen vil.
mîn verlornez vederspil
ist mîn urkünde noch
3930 daz ich nihtes liege doch
und ich die ganzen wârheit
gar lûterlichen habe geseit.'
Engelhart sprach aber dô
harte kündeclîche alsô.
3935 'welt ir diu dinc bewæren
mit wilden sperwæren,
daz ist ein fremdez wunder.

3911 minne wart zeim *H*] meine wort zu eim.
3912 diz *H*] diese.
3916 Minne *H*] Liebe.
3917 beiden *H*] *f.*
3919 dar *H*] da.
3921 dâ z. (sâ z. *Le*).
3922 von iu zwein erwant *H*] euch zweyen verwand.
3924 danne *H*] dauon. (*Le stellt um* zornic wid. danne).
3925 alsam *G*] als.
3926 ist *H*] *f.*
3927 ûzer mâzen *H*] auß dermaßen.
3930 nihtes liege *J nach H Anm.*] nichts liege (niht enliege *H im Text*).
3932 gar (vil *Le*). lûterlichen *J*] leuterlichen (liuterlichen *H*)
3934 kündeclîche *H*] kundelichen.
3935 welt ir *H*] wolt er.

ir dürfet wol dar under
geziuges unde urkündes mêr.
3940 der künic edel unde hêr
mac prüeven an der rede wol
daz niemen iu gelouben sol
als üppeclicher mære.
wan ich vil tobic wære,
3945 swenn ich mich durch minne
zuo der küneginne
næhte in einen garten,
und ich den unbewarten
offen dâ gelieze,
3950 daz ich niht enstieze
den rigel an der porten für.
wer solte lâzen eine tür
unbeslozzen an der zît
swenn er bî liebe tougen lît
3955 um den lîp und um sîn leben?
ich wolte mich dem tôde geben
mit willen ûf der erden,
swenn ich mit einer werden
frouwen alsô würbe.
3960 daz ich zehant verdürbe,
daz wære unmâzen billich,
ob ich ir êre und dar zuo mich
sô frevelliche wâgete
daz mich des betrâgete
3965 daz ich beslüzze ein türelîn.
der künic sol die tugent sîn
an mir vil sêre mêren
und niht sîn lop verrêren

3939 geziuges *H*] zeugnis.
3943 üppeclicher *H*] vppenlicher.
3944 vil *G*] gar (*Le*).
3945 (durch die m. *G*). minne] Liebe.
3947 næhte *H*] rechte.
3949 offen dâ gelieze *H* *nach L*] offen tages ließe.
3954 tougen *H*] heimlich.
3955 um – um *G*] vmb – vmb ((ûf – ûf *H*).
3964 des *H*] das.
3967 vil *H*] gar.
3968 verrêren *H*] vertheren.

umbe ein alsô kleine dinc.
3970 ich kam her in des hoves rinc
ûf sîne gnâde manicvalt,
und enthielt mich sîn gewalt
sô schône und alsô rehte wol
daz er daz niht verliesen sol
3975 als üppeclichen hiute.
mîn lougen ich hie biute
alsam ein unschuldiger man.
swie mirz gerihte erteilen kan,
alsô wil ich bewæren
3980 daz ich der tugentbæren
tohter sîn unschuldic bin
und daz ich nie gewan den sin
der ûf ir minne stüende.
mit gote er sich versüende
3985 noch mit der werlde nimmer,
swer mich dar under immer
gemachte schadebære.
wan ob ich schuldic wære,
sô hæte ich langer niht gebiten;
3990 von hinnen wære ich sâ geriten
dô diz geschehen solte sîn.
got weiz wol iuwern falschen schîn,
dâ von ich anders niht geger

3969 umbe ein alsô *H*] vmb also kleine.
3971 gnâde *J* (genâde *H*).
3975 als *H*] also.
3976 lougen *H*] leugnen.
3977 alsam *G*] als.
3978 erteilen *H*] vrtheilen.
3979 ich *H Anm.* (*urspr.* ichz)] ich es.
3983 minne *H*] Liebe. stüende : versüende *H*] stunde: versunnete (stuonde: versuonde *J*). *Ebenso* 4547 f.
3985 werlde *H*] wehrende.
3986 dar under *GSchr*] darumb.
3987 gemachte *Schr*] gemache.
3988 schuldic *H*] vnschuldig.
3989 so hæte ich langer (lange *J nach B*) niht gebiten *Spr*] so lang h. i. n. gelitten (sô lange h. ich n. gebiten *H*).
3990 sâ *H*] *f.*
3993 dâvon *J nach L*] daß (daz *H urspr.*). n. geger *R*] n. beger (*H*, n. enger *oder* nihtes ger *Le*).

wan daz man rehtes mich gewer
3995 alsô daz ich ûf erden
unschuldic müeze werden,
swie manz erteilen künne mir.
alsô stât mînes herzen gir
und ist mîn lîp dar zuo bereit
4000 mit willeclicher arebeit.'
In zorne sprach von Engellant
Ritschier aber sâ zehant
'welt ir unschuldic werden,
daz muoz ergân ûf erden
4005 mit swerte engegen swerte.
swer iht anders gerte,
des friunt enwürde ich nimmer:
zewâre ich wolte in immer
hazzen biz an mînen tôt.
4010 ê daz ich werde schamerôt
und ich ein lügener bestê,
sô wil ich mîn leben ê
mit willen ûf die wâge legen.
man sol mit grimmen swertes slegen
4015 beherten hie die wârheit.
wan swüeret ir uns manegen eit,
ez künde iuch kleine für getragen,
welt ir entreden unde entsagen
iuch benamen des geziges,

3995 ûf erden *H*] auff der Erden.
3997 erteilen *H*] vrtheilen.
3998 gir *H*] begier.
4002 sâ *Le*] da.
4003 werden *H*] werben.
4005 engegen *J*] gegen.
4006 iht anders gerte *H*] was anderß begerte (aber anders gerte *G*).
4007 enwürde *H*] entwerd.
4009 hazzen *H*] lassen.
4011 ein lügener (an lügene *B*).
4015 beherten hie die wârheit *H*] geherten hie die gantz W.
4017 kleine *G*] wênic. getragen *H*] tragen.
4018 welt ir entreden unde entsagen *H*] wolt jr tretten vnde schlagen.
4019 iuch benamen *H*] auch bey glauben.

4020 seht, sô müezet ir des siges
an mir gewaltic werden.
niht anders kan ûf erden
gehelfen iuch ze dirre nôt.
ez wirt mîn endelicher tôt
4025 oder ich bewære
daz ich disiu mære
niht erdâhte noch ervant.
alhie muoz hant wider hant
kempfen unde vehten.
4030 ob iemen nû des rehten
an strîte noch geniezen sol,
sô weiz ich unde erkenne wol
daz ich schiere hie genise.
zewâre, wæret ir ein rise,
4035 ich wolte iu kampfes doch gestân,
ûf den vil sæleclichen wân
daz got die rehten wârheit
mit sîner helfe nie vermeit.'
'Niht anders ger ich noch enbite'
4040 sprach Engelhart der wol gesite,
'wan daz der kampf unwendic sî
und got der rehten wârheit bî
mit sîner hôhen helfe stê.
nie keines dinges wart ich mê
4045 sô vaste erfreuwet als daz ich
für die maget wunneclich
wâgen sol êr unde leben.
diu beidiu wil ich durch si geben
entweder in den strengen tôt

4020 seht sô *H* (*J Anm. möchte* seht alsô *schreiben*).
4023 iuch *J nach B* (iu *H*).
4025 (*SchrG schieben* aber *nach* oder *ein*).
4028 alhie *G*] hie.
4030 iemen nû *H*] nun jemand.
4033 schiere *J nach B*] sicher.
4039 ger ich noch enbite *H*] beger noch embiet.
4044 keines dinges wart *H*] k. d. entward (keiner dinge enwart *B*).
4046 wunneclich (minneclich *H*, küneclich *G*).

4050 oder si von schemelicher nôt
lœsen unde enbinden.
kan ich die sælde vinden
daz für sich gât alhie der kampf,
sô muoz des grimmen Tôdes krampf
4055 mich ziehen oder iuch dâ hin.'
'vil gar ich des ân angest bin
daz er mich ziehe' sprach Ritschier.
'reht als der lewe ein krankez tier
mit sîner krefte neiget,
4060 sô wirt von mir geveiget
iuwer ungetriuwez leben.
ir sult den lîp dar umbe geben
daz ir sô rehte sêre
dem künige an sîn êre
4065 mit willen hât gerecket.
diu schulde muoz endecket
werden und diu missetât
dâ für alhie geboten hât
iuwer munt sîn lougen.
4070 daz ich mit den ougen
gesehen hân sô rehte wol,
swer mich des widertrîben sol,
der muoz vil wunders kunnen.
wil mir got heiles gunnen,
4075 mîn manheit wirt hie niht gespart.'
'waz muget ir' sprach Engelhart,
'gebrogen und gedröuwen?
ir sult iuch danne fröuwen
swenn ir gefâhent den sic.

4050f. oder si von schemelicher (*Spr*, *Schr*) nôt lœsen *G*] oder sie von senigliche n. l. (oder von smæhelicher n. si lœsen [*J*] *oder* od si von sm. n. l. *H*).
4052 die sælde *H*] dieselben.
4056 vil gar *H* (vil wol *J*).
4058 reht als *G*] gleich als (alsam *H*).
4065 gerecket (gezecket *J nach Wa*).
4077 gebrogen *H*] gebeugen.
4079 gefâhent (gevohten hât *JG*, ervohten *od. besser* genomen hât *Le*, gewunnen h. *H*).

4080 ich hân vil manegen doners blic
gesehen harte freissam
dar nâch ein kleinez weter kam
unde ein vil gefüeger slac.
starkez dröuwen ie gelac
4085 mit einem swachen ende.
ez ist ein missewende
daz ir mich wellent strâfen.
ir sult sîn mit den wâfen
mit mir komen über ein.
4090 der künic, iuwer œhein,
sol disen kampf bestæten
mit worten und mit ræten,
daz er für sich müeze gân.
sô hât er wol ze mir getân.'
4095 Der milte künic Fruote
sprach dô mit stætem muote
'der kampf mac wendic niht gesîn.
wan Engeltrût, diu tohter mîn,
muoz erlœset werden
4100 von itewîze ûf erden
oder gar dar inne ligen.
man hât der dinge si gezigen
der kiuschiu wîp sint ungewon.
nû helfe man ir ouch dervon
4105 oder bringe si dar zuo.
niht anders wil ich daz man tuo
mit dirre sache, wizze Krist.
sît hie geziuge niht enist
die hânt gesehen disiu dinc,
4110 sô tretet beide in einen rinc:
dar inne komet über ein

4083 vil gefüeger *H*] viel vngefûgter.
4091 bestæten: ræten *H*] besteden: reden.
4097 mac *H*] entmag.
4100 itewîze ûf erden *H*] etwas auff der Erden.
4101 u. 4105 (oder aber *G*).
4102 hât *H*] *f*.
4104 dervon *G*] daruon (dar von *H*, dâ von *J*).
4109 hânt gesehen *H*] gesehen han.
4111 komet *J* (ir komet *H*).

wer die wârheit von iu zwein
mit rede an deme kriege spar.
got welle daz er wol gevar
4115 der ie gestât dem rehten bî,
swer aber hiute schuldic sî,
der müeze unsælic sîn genant.'
diz lobeten sî dô beide sant
und wart der kampf gesprochen
4120 schier über sehs wochen,
als ez was billich unde reht.
Engelhart, der Êren kneht
und der Triuwen dienestman,
hier under schône sich versan
4125 daz er schuldic wære.
des wart vil angestbære
sîn vil ellenthafter sin.
er dâhte 'sît ich schuldic bin
und ich daz offenlîche weiz,
4130 getræte ich danne in einen kreiz
durch kempfen und durch vehten,
sô würde ich von dem rehten
schiere dâ geveiget.
got hât an mir gezeiget
4135 alzehant die râche sîn,
diu mir mînes herzen schrîn
beginnet nider vellen.
ze mînem trûtgesellen
Dieterîche wil ich varn.

4112 von *H*] vnder.
4113 deme (disem *Schr*).
4115 ie *Le*] hie. gestât *G*] stehet.
4116 schuldic *H*] schulde.
4118 dô *H*] *f.* (*B*).
4123 Triuwen *H*] treuwe.
4124 hier under *H*] mir vnd er.
4129 und ich daz *H*] vnd daß ich das.
4130 getræte *G*] trette (trite *B*).
4132 würde *H* (wirde *B*).
4134 (erzeiget *Müller*).
4136 du mir mînes herzen *H*] die jm in sein Hertze. schrîn *SchrG*] schein (schîn *H*).
4137 beginnet *H*] begundte.

4140 der kan vor schaden mich bewarn
und hilfet mir ûz dirre nôt.
wan zwâre er læge ê für mich tôt
ê daz er lieze sterben mich.
durch sîne triuwe lûterlich
4145 gît er gewisse lêre
daz ich lîp und êre
behalte mit gelimpfe wol.
sîn herze rîcher tugent vol
erdenket etelichen rât
4150 der mir ze staten hie gestât'.
Mit disen dingen und alsô
wart Engelhart ze râte dô
daz er bî den zîten
ze Dieterîche rîten
4155 wolte hin gên Brâbant.
urloubes bat er alzehant
den künic rîch von hôher art.
'herre' sprach er, 'eine vart
lât mich getuon von hinnen.
4160 ich bin des worden innen
daz ich schiere kempfen sol.
dâ von bedarf ich harte wol
daz ich die sehs wochen var
zeinem klôster etewar
4165 und ich dâ wesen müeze
biz ich ein teil gebüeze
des ich vil begangen hân:

4142 wan zwâre *G*] dann (wande *H*). für *H*] vor.
4145 gît *H*] seit. gewisse *Schr*] mir die.
4146 (sô daz *G*, mir daz *Schr*).
4149 erdenket etelichen *H*] er erd. erstlichen.
4150 ze staten *H*] zu schaden.
4155 hin gên (engegen *Le*).
4159 getuon *G*] thun (tuon *H*).
4160 worden *H*] wehrden.
4161 schiere *J nach B*] sicher.
4163 die *BSchr*] dise.
4164 etewar *H*] erwar.
4165 müeze: gebüeze *H*] můßte: gebůste.

hân ich anders iht getân
dâ her bî mîner zîte,
4170 daz ich des an dem strîte
niht engelte wider got.
ich habe leider sîn gebot
an manegen dingen übertreten.
nû wil ich vasten unde beten
4175 biz daz der kampf hie sol geschehen,
dar umbe daz er übersehen
mîn alten sünde welle
und er mich iht envelle
an dirre niuwen unschult.
4180 herre mîn, dâ von ir sult
gnâd unde reht an mir begân.
geruochet mich nû rîten lân.
in ein klôster etewâ,
daz ich die sehs wochen dâ
4185 belîbe und ich geriuwe.
ze pfande ich mîne triuwe
setz unde ritters êre
daz ich her wider kêre
des tages und der selben zît
4190 sô geschehen sol der strît
alsô daz ich den kampf hie wer
den ir dâ hât gesprochen her.'
Nû wart des sites dô gepflegen
daz man vil tiure kunde wegen
4195 êr unde ganze stæte.
swer einen ritter hæte

4168 (und habe ich *G*). anders iht *H*] etwas anders.
4170 des *H*] das.
4171 engelte *H*] entgolte.
4175 daz *G*] *f.* hie *H*] *f.* geschehen *H*] beschehen.
4177 mîn alten sünde *H*] muß all der Sünde.
4178 mich iht envelle *J nach B*] micht entfelle (mich niht env. *H*).
4180 mîn *H*] *f.*
4181 begân *H*] begohnt.
4182 nû rîten lân *H*] nun ritter lohnt.
4185 und (unz *Schr*).
4191 wer *H*] bewer.
4192 dâ *G*] *f.*
4194 tiure *H*] diesen. wegen *H*] *f.*

gevangen bî den zîten,
weizgot der liez in rîten
ûf sîner hôhen triuwe pfant.
4200 swar sîn wille was gewant
dar mohte er balde kêren,
swenn er bî ritters êren
gelobete daz er kæme wider.
dâ von der künic Fruote sider
4205 Engelharten rîten hiez
und in ûf sîne triuwe liez
kêren swar in dûhte guot.
jâmerhaft und ungemuot
gap er ze pfande sînen eit
4210 und sîne hôhe sicherheit
daz er her wider kæme sâ,
sô geschehen solte dâ
der vil angestbære strît.
die reise wolte er an der zît
4215 niht langer sûmen unde sparn.
er tet alsam er wolte varn
zeinem klôster alzehant,
und îlte gegen Brâbant,
dâ sîn geselle Dieterich
4220 ûf einer bürge hæte sich
mit hûse nider lâzen.
sîn wîp und er dâ sâzen
mit grôzen êren bî der zît,
und was in sunder widerstrît
4225 daz lant ze dienste vil bereit.

4199 sîner *H*] einer.
4200 (sw. im sîn *G*). gewant *H*] genannt.
4202 swenn *H*] wann.
4204 Fruote *H*] freude.
4207 swar *H*] wo.
4208 jâmerhaft *H*] Jammer hast.
4211 er *H*] *f*. her *G*] *f*. sâ: dâ *H*] so: do.
4214 die reise wolte er *H*] der R. wolt.
4215 sûmen *H*] sinnen.
4216 alsam *H*] als.
4218 (engegen *Le*).
4220 ûf einer bürge hæte *G*] h. auff e. b.
4221 lâzen *H*] gelassen.
4224 in *H*] jm.
4225 vil *H*] *f*.

von dannen Engelhart dô reit
zuo ir bürge vil geslaht
und kam dar für in einer naht
gestapfet an den burcgraben.
4230 ûf dem er dô begunde enthaben
und sprach dem wahtære zuo
'friunt, ich sage dir waz dû tuo.
ganc balde zuo dem herren dîn
und sprich daz der geselle sîn,
4235 Engelhart, an deme tor
gehabe, daz er in dâ vor
geruoche sprechen unde sehen.
im sî vil harte nôt geschehen
des râtes und der lêre sîn,
4240 daz er im hôhe triuwe schîn
mach und beschouwen lâze alhie.
sô nôt im würde helfe nie
alsô ze dirre zîte nû.
diz wort vil rehte merke dû
4245 und sage im disiu mære.'
sus giene der wahtære
für Dieteriches palas,
dar inne er sanfte entslâfen was
bî sînem schœnen wîbe guot.
4250 den herren tugentrîchgemuot
wahte er ûf vil schiere dô
und sprach dô wider in alsô.
'fürste rîch von hôher art,

4226 von dannen *G*] dauon (dâ von *H*).
4230 enthaben *J nach B*] enhaben (haben *H*).
2435 deme tor *H*] dem ort.
4236 gehabe *G*] habe.
4240 hôhe triuwe schîn *H*] hoher treuwer schein.
4241 mach und beschouwen lâze alhie *H*] mache vnd beschauwe allhie. (*Le liest* 4240f. daz er hôher tr. sch. in beschouwen lâze a.).
4242 würde helfe *H*] werde helffen.
4243 alsô *G*] so.
4246 sus *H*] so.
4247 für *H*] vor.
4248 sanfte *J*] schier (schiere *H*, *Anm.* schône, sider *Spr*).
4251 vil *G*] gar.

iuwer friunt, her Engelhart,
4255 von dem ir dicke hât geseit
sô maneger hande frumekeit,
der ist her komen an daz tor
durch daz ir in dâ sehen vor
und sprechen nû geruochet:
4260 wan endelîche er suochet
iuwer helfe an rehter nôt.
dar umbe er iu mit mir enbôt
daz ir für die porten gânt
und in mit iu reden lânt
4265 ein wênic des sîn wille ger.
in jaget grôziu angest her:
daz prüeve ich wol an sîner klage.
sît daz er wolte niht bî tage
suochen iuch, sô wizzent daz
4270 im wirret tougen etewaz
daz er niht allen liuten
mit rede wil bediuten.'
Nû der vil triuwebære
Dieterich diu mære
4275 von Engelharte dô vernam,
dô wart der fürste lobesam
von sîner kunft sô rehte frô
daz er niht mohte erbeiten dô
daz er sich an geleite.
4280 ûf spranc er vil gereite
alsam ein friunt des man bedarf.

4257 her komen *G*] gekomen (komen *H*).
4258f. durch daz ir in dâ sehen vor und sprechen nû *H*] auff daß er euch anspreche daruor gesprochen nun.
4262 mit mir *J nach B* (bî mir *H Spr*).
4263 für die porten *H*] vor die Pforte.
4265 des sîn wille ger *H*] das sein will beger.
4270 wirret tougen *Schr*] wird heimelichen (wirret heimlîch *H*).
4272 mit rede wil bediuten *H*] m. reden nicht w. b.
4273 der vil triuwebære *H*] der theuwrenbere.
4277 kunft *H*] zukunfft.
4281 alsam *G*] als.

niht wan einen schecken warf
an sich der edele werde man.
hie mite er an die zinne dan
4285 barfuoz und âne hemde lief.
mit freuden sprach er unde rief
'wer suochet mich an deme tor?
Engelhart, bistû dâ vor,
vil herzetrût geselle mîn,
4290 sô soltû willekomen sîn
got unde mir vil tûsentstunt.'
Engelhart dô sînen munt
alsô vil minneclîche entslôz
und seite dô genâde grôz
4295 dem fürsten rîch von hôher art.
'ja' sprach er, 'ich bin Engelhart
und wolte alhie gesprechen dich.'
alsus erkante in Dieterich
vil schiere an sînen worten.
4300 dâ von er ûf die porten
warf biz an den angen.
er kam her ûz gegangen
und geloufen im engegen,
sînen arm begunde er legen
4305 um den vil tugentrîchen.
er gap im minneclîchen
an beidiu wangen manegen kus
und sprach dô wider in alsus.
'nû müeze unser trehtîn

4282 einen schecken warf *J Anm.*] ein Schecke er w. (ein decke w. *H*).
4284 dan *H*] hindan.
4285 âne hemde lief *H*] on sein Hembd hin lieff.
4286 (von fr. spranc er *Le*).
4291 gote – vil *H*] gnad – wol.
4293 alsô vil *G*] so gar. minneclîche *H*] lieblichen.
4297 gesprechen *H*] ansprechen.
4298 alsus *H*] also.
4301 angen *H*] Angel.
4306 minneclîchen *H*] lieb-leichen.
4307 kus: alsus *H*] Kuß do: also.
4309 müeze (*H*, müez *J nach Anm.*, müeze eht *G*).

4310 hiute und immer gêret sîn
daz mir diu sælde sî geschehen
daz ich alhie ze lande sehen
dich sol, getriuwer Engelhart.
ob ie mîn herze erfröuwet wart
4315 von liebe, daz ist gar ein wint
biz an die wunne die mir sint
von dir komen in den muot.
herzefriunt, geselle guot,
wis gote willekomen mir,
4320 vil baz dan ich entsliezen dir
mit rede künne, reiniu jugent.
alrêrst wil ich mich dîner tugent
frœlichen nieten.
dîn triuwe sol mir bieten
4325 ze freuden ganze stiure.
wol mich der âventiure
diu mir an dir komen ist.
nû kan ich mîner jâre frist
mit sælde alrêrst vertrîben,
4330 sît daz dû muost belîben
gewaltic alles des ich hân.
dir sol hie werden undertân
mîn lîp, mîn guot, mîn êre.
dar über soltû sêre
4335 gebieten swie dû selbe wilt.
mîn herze in mînem lîbe spilt
von der werden künfte dîn:
ich unde dû wir müezen sîn

4311 diu sælde *H*] das glück.
4318 herzefriunt *H*] Hertzer Freund vnd.
4319 wis gote willekomen mir *Spr*] biß Gott willkum mir (wis willekomen aber mir *H*).
4320 entsliezen *H*] entschließe.
4321 rede *H*] reden.
4322 mich (*f. H*).
4323 (nû fr. *G*, mich fr. *H*).
4329 sælde *H*] glück.
4331 alles *H*] als.
4333 guot mîn *H*] Gut vnd mein.
4335 selbe *G*] selber.
4337 künfte *H*] Zukunffte.

immer ungescheiden.
4340 enwelle got uns beiden
gesellеschaft enpflœhen,
sô wil ich daz wir hœhen
mit ein ander unser leben,
biz daz uns beiden wirt gegeben
4345 von dem tôde ein ende.
dû solt in dîner hende
mich haben und die liute mîn,
als ob si gar dîn eigen sîn.'
Der rede im antwürte bôt
4350 mit liehtem munde rôsenrôt
Engelhart der süeze.
er sprach 'got selbe müeze
danken dir, geselle trût,
daz ich stille und über lût
4355 ie vant sô reine triuwe an dir.
dû bist ein marmel gegen mir
unde ein flins der stæte.
swaz dû mir ie getæte
ze liebe, tugentlîchiu fruht,
4360 daz sol dîn rât nû mit genuht
an mir übergulden,
wan ich von wâren schulden
bedorfte dîner helfe nie
sô rehte wol als ich ir hie
4365 bedarf ze disem mâle.
daz ich bî dir entwâle
nâch dînes edeln herzen ger,
durch daz bin ich niht komen her,
wan ich der wîle niht enhân

4340 enwelle got *G*] Gott wölle (got enwelle *H*).
4344 daz *SchrG*] *f.* gegeben *H*] geben.
4346 dîner *H*] deine.
4349 im antwürte *H*] ein antwort.
4352 selbe *J Anm. nach B*] selber.
4357 flins *H*] Fluß.
4360 nû mit *H*] nun nicht.
4363 dîner *H*] deine.
4364 ich *H*] *f.*
4367 herzen ger *H*] Herrn beger.

4370 daz ich nû müge alhie bestân
und ich belîbe langer iht.
mich hât vil ernestlich geschiht
und rehtiu nôt ze dir getriben.
freuden blôz bin ich beliben
4375 und hôher sorgen rîche.
des var ich nû gelîche
eim angesthaften manne.
dûne stâst mir danne
ze staten und dîn lêre,
4380 sô muoz ich al mîn êre
verliesen und dar zuo mîn leben.
wilt aber dû mir stiure geben
mit dînem râte sinneclich,
so getriuwe ich gote wol daz ich
4385 êr unde lîp, diu beide,
behalte vor dem leide
daz mir vil schiere künftic wirt
ob mich dîn helfe hie verbirt.'
Dâ wider sprach dô Dieterich
4390 'ach friunt, war umbe ist zwîvellich
dîn rede gegen mir alsô?
ichn wart nie keines dinges frô
sô daz ich guot, êr unde leben
sol ûf die wâge für dich geben

4371 iht *H*] nicht.
4372 geschiht *H*] Gesicht.
4374 freuden *H*] Frauwen.
4378 dûne stêst *H* (*besser* stâst)] du entstehst.
4379 ze staten *H*] zu staden.
4382 wilt aber dû mir *J nach B*] wiltu mir aber.
4383 sinneclich *H*] sinnlich.
4384 getriuwe *G*] getrauw (triuwe *H*).
4387 vil *G*] *f.* schiere *J nach B*] sicher.
4388f. ob mich dîn helfe hie verbirt. Dâ wider sprach dô Dieterich *G*] Wann er mich in meim sinne jrrt. Dein hůlffe sprach da D. (ob dîn helfe mich verbirt. Dô sprach aber [Zime sprach dô *J*] Dieterich *H*).
4392 ichn wart nie keines dinges frô *J nach B*] ich entward k. d. nie fr. (ich enwart nie dinges frô *H*).

4395 swâ sô es dir nôt geschiht.
dar an enzwîvel nimmer niht,
ich enbiete gerne mich
in den grimmen tôt durch dich
mit herzen und mit lîbe.
4400 mir gât der Sælden schîbe
sît daz dû des geruochest
daz dû mich heime suochest
durch helfe in deme hûse mîn.
entsliuz mir al die swære dîn
4405 und dînen kumber angestlich
lâz sehen, trûtgeselle, mich
ob ich den rât nû vinden müge
der dir iht ze helfe tüge
und dir ze dîner nœte frume.
4410 vil schiere ich dir ze helfe kume,
ze staten und ze trôste wol.
ob ich, friunt, dar umbe sol
sterben unde ligen tôt,
daz dunket mich ein senftiu nôt.'
4415 Engelhart sprach aber zim
'trûtgeselle, nû vernim
waz ich dir nœte welle klagen.
sich hât mîn dinc alsô getragen
daz Engeltrût, diu reine fruht,
4420 gnâd unde wîplîche zuht
nâch dem wunsche an mir begie
und mich ir minne erwerben lie,
der ich nie leider wirdic wart.
und dô diu maget von hôher art

4395 swâ *H*] wann.geschiht *H*] beschicht.
4396 enzwîvel *H*] zweiffel.
4397 enbiete *H*] entbitte.
4400 der Sælden *H*] deß Glůckes.
4401 des *H*] das.
4408 iht *H*] heut.
4409 nœte *H*] *f*.
4411 ze staten *H*] zu schaden.
4412 (und ob *G*). friunt *H*] Freunde.
4417 waz ich dir nœte welle *H*] was not ich d. wil.
4421 begie: lie *H*] begieß: ließ.
4422 minne *H*] Lieb.

4425 zem êrsten mînen willen tete,
dô wart ich an der selben stete
bî der schœnen funden.
mîn sælde was verswunden
und daz gelücke mîn zehant.
4430 wan Ritschier von Engellant,
der mich geniten hât sô vil,
an dem vil süezen minnespil
uns bî ein dô ligen sach.
und alzehant dô daz geschach,
4435 dô gienc der tugentlôse man
für den werden künic dan
und seite ûf mich diu mære
daz mir sîn tohter wære
gelegen durch die minne bî.
4440 daz warf der künic wandels frî
zehant mir under ougen.
dô bôt ich des mîn lougen
sêr unde kündeclichen dâ.
dâ von wart ez geredet sâ
4445 beidiu Ritschiere unde mir
an einen kampf: den sulen wir
mit ein ander vehten.
nû bin ich mit den rehten
schulden weizgot überladen
4450 und fürhte daz ich grôzen schaden
an dem strîte kiese,

4425 zem êrsten mînen willen tete *H*] zum e. den willen mein thet.
4428 sælde *H*] Seele.
4431 geniten *H Anm. z. 1665*] geneidet.
4432 an – minnespil *H*] als – wunnespiel.
4433 bî ein dô *Le*] bey einander. ligen *H*] er ligen.
4436 dan *H*] stahn.
4439 minne bî *H*] Liebe mein.
4440 daz *H*] deß.
4442 des *Le*] *f.* (ie *G*). lougen *H*] laugnen taugen.
4443 kündeclichen *G*] kundtlichen. dâ: sâ *H*] do: so. *Schr liest den vers* harte kündeclîche dâ.
4450 (unde *H*). grôzen *G*] *f.* (*Schr ergänzt* sêre *hinter* fürhte).

also daz ich verliese
den lîp, ob ich tret in den kreiz,
wan ich mich selben schuldic weiz
4455 endelîche an der geschiht.
dâ von entar ich leider niht
den kampf volenden noch gewern.
des wil ich muoten unde gern
an dich, friunt und geselle mîn,
4460 daz mir dîn rât hie werde schîn
und dîn gewissiu lêre,
sô daz mîn frouwe ir êre
beschirme und ich mîn schuldic leben,
daz dem tôde wirt gegeben,
4465 ob mir ze staten niht gestât
dînes edelen herzen rât.'
'Geselle' sprach dô Dieterich,
'ob anders niht entwinget dich,
sô mac guot rât sîn werden.
4470 den list kan ich ûf erden
erdenken und ervinden
dâ mite ich sol enbinden
ûz dirre nôt daz leben dîn.
dû solt alhie ze hove sîn
4475 herr unde wirt an mîner stat.
sô kêre ich hin ûf dînen pfat

4453 ob ich tret *H*] ob trette.
4454 selben *H*] selber.
4455 (gar end. *G*).
4456 dâ von entar *H*] dauon engethar (des engetar *J nach B*).
4457 gewern *H*] wehren (enwern *J nach B*).
4458 muoten unde gern *H*] meiden vnd wehren.
4459 und *H*] *f.*
4460 mir dîn rât hie *G*] mir dein R. (dîn rât mir *H*).
4463 ich *H*] *f.*
4465 ze staten *H*] zu schaden.
4468 anders niht *H*] nicht anderß.
4469 guot rât sîn *Le*] sein gut raht.
4470 den *H*] die.
4471 erdenken *H*] gedencken. ervinden *J Anm.*] vinden.
4475 wirt *H*] Haußhalter.

und wirde ein kempfe für dich nû.
sô wænet man daz ich sî dû,
wan wir gelîch ein ander sîn.
4480 nim an dich diu kleider mîn;
sô sliufe ich in dîn gewant.
dû wirdest hie für mich erkant:
sô wirde ich dort für dich gesehen.
dû solt hie sprechen unde jehen
4485 daz dû heizest Dieterich:
sô nenne ich Engelharten mich
in des küneges hove dort.
wer solte sprechen einic wort
dar umbe daz ich kempfe dâ,
4490 sît daz man niender anderswâ
gelîcher vindet zwêne man?
ob mir es got der herre gan,
so getriuwe ich wol daz ich gesige:
wande ich bin an dem gezige
4495 unschuldic aller dinge,
daz wirt ein misselinge
von Engellant Ritschiere.
lîh mir, geselle, schiere
dîn pfert und allez dîn gewant.
4500 dar nâch füere ich dich zehant
slâfen zuo dem wîbe mîn.
dû solt an mîner stete sîn
und ligen zallen zîten
an mîner frouwen sîten
4505 biz ich ze lande wider kume.'

4477 und wirde ein kempfe *Schr*] Vnd kempffe.
4478 wænet *H*] meynet.
4479 wan *H*] dann.
4480 (*G schiebt* dû *nach* dich *ein*).
4481 sô sliufe ich in *Le*] So ziehe ich an (ane *JG nach B*).
4488 einic *G*] ein (dehein *H*).
4489 kempfe *H*] kempffen.
4491 gelîcher *H*] gleich.
4492 es *H*] *f*.
4493 getriuwe *G*] getrauw (trouwe *H*). gesige *H*] sige.
4499 allez *H*] alle.
4500 (d. nâch sô f. *G*).

'entriuwen nein' sprach dô der frume
und der verwizzen Engelhart.
'sô hæte ich mîne zuht gespart
und al mîn lop verhouwen.
4510 daz ich bî mîner frouwen
mich slâfens wolte nieten,
daz sol uns got verbieten'.
Aber sprach dô Dieterich
'sich herre, dû muost legen dich
4515 ze mînem schœnen wîbe.
dîn herze in dînem lîbe
vor schanden ist sô lûter
daz dû, geselle trûter,
mir nie kein untriuwe tuost.
4520 dâ von dû sicherlichen muost
dich legen zuo der klâren
und sô mit ir gebâren
daz man wæne dû sîst ich.
sô mac diz dinc verborgenlich
4525 umb unser wandelunge sîn.
würde iemanne ûf erden schîn
daz ich ze Tenemarke rite
und ich den kampf für dich gestrite,
daz würde an êren dîn verlust.
4530 man sol verbergen in der brust
die tougenlichen sache.
dâ von dû mit gemache
leb unde swîc vil stille.
ich sage dir wie mîn wille
4535 getân ist und der site mîn,

4506 dô *H*] *f*.
4507 der *H*] *f*.
4509 al *H*] alles.
4513 (Und aber *G*).
4514 sich herre *G*] sicher (*H*, benamen *J*).
4519 mir nie kein *G*] mir kein (mir dehein *H*).
4522 sô *H*] also.
4523 wæne *H*] meine.
4525 umb unser *H*] vnd vns.
4527 rite: gestrite *H*] reihte: streite.
4528 ich *G*] *f*.
4531 tougenlichen *Schr*] heimeliche (heimelichen *H*).

durch daz dû mügest hie gesîn
deste baz an mîner stete.'
hie mite entslôz er unde tete
im alle hovesite kunt.
4540 dar wider seite im an der stunt
Engelhart der guote
daz in der künic Fruote
dar umbe lieze rîten
daz er bî den zîten
4545 kêrte zeiner zelle,
alsô daz er vil snelle
ze buoze gote stüende
und wider in versüende
die sehs wochen sînen mein.
4550 sich huop ein wehsel von in zwein
unde ein wandelunge.
Dieterich der junge
nam Engelhartes kleider an
und fuorte in bî der hende dan
4555 ze sînem schœnen wîbe guot.
dar nâch der fürste wol gemuot
bôt dem wahtære sînen segen
und bat sîn got von himele pflegen
und îlte sîne strâze.
4560 er nam der reise mâze
ze Tenemarken in den kreiz.
Engelhart sich vaste fleiz
hôher stæte wider in,
wan sîn tugentrîcher sin

4536 mügest hie gesîn *J*] mögest hie seyn (müezest hie gesîn *H*).
4539 hovesite *Schr*] Sitten des h. (site des hoves *H*).
4543 dar umbe lieze *H*] ließ darumb.
4545 (hin k. *G*).
4546 vil *G*] gar.
4547 *vgl.* 3983.
4548 versüende *H*] fur fůnde.
4549 sînen *H*] seyen.
4557 bôt *J*] Gott (gap *H*).
4558 bat sîn *H*] bot sich.
4559 îlte sîne *Le*] eilte auff sein (î. ûf sîne *seit H*)
4561 ze Tenemarken *H*] zu Dennemarck.
4564 wan *H*] dann.

4565 nie keiner missewende pflac.
bî sînem schœnen wîbe er lac
daz er leite enzwischen sich
und die frouwen wünneclich
zehant ein swert blôz unde bar.
4570 er seite ir endelichen gar
daz er dise unmuoze
wolte zeiner buoze
die sehs wochen trîben.
daz liez si dô belîben
4575 sunder haz und âne zorn.
sîn lîp von hôher art geborn
beruorte nie durch minne
die werden herzoginne,
und lac ir doch vil nâhe bî.
4580 der süeze wandelunge frî
lebte dâ ze hove alsô
daz man gesworen hæte dô
daz der vil triuwebære
wirt dâ ze hove wære.
4585 Für Dieterichen wart erkant
Engelhart ze Brâbant:
sô wart ze Tenemarke
gesehen ouch vil starke
für Engelharten Dieterich.
4590 sus hæten si verwandelt sich
und verkêret under in.
Dieterich reit allez hin
in Engelhartes bilde.
im wart sîn name wilde
4595 und fremde gar sîn heimuot.
der tugentrîche fürste guot

4567 enzwischen *Le*] zw.
4568 wünneclich (minneclich *H*).
4569 bar *H*] klar.
4571 unmuoze *H*] vnmasse.
4577 (geruorte *Le*). minne *H*] Liebe.
4585 für *H*] vor.
4588 gesehen *G*] versehen (*H*, ersehen *J nach Wa*).
4590 sus *H*] so.
4594 im *J nach Schr*; *vorher schon Müller*] nun (nû *H*).

kam ûf den hof reht an der zît
dô der angestbære strît
geschehen solte ân alle fluht.
4600 der künic zwîvel mit genuht
het in sîn herze dô gelesen,
durch daz sô lange was gewesen
under wegen Dieterich.
er wânde daz versûmen sich
4605 wolt Engelhart des strîtes dô.
dâ von wart er unmâzen frô
daz Dieterich kam ûf den hof.
vil manic werder bischof
und fürsten aller hande
4610 wâren von dem lande
durch schouwen aldâ hin gezoget.
Ritschier der hæte vil gebroget
und dannoch geschallet mê.
vil harte dicke sprach er ê
4615 'für wâr bekenne ich unde weiz
daz Engelhart des landes kreiz
muoz vermîden immer
und daz er komen nimmer
wider an den hof getar.
4620 sich selben weiz er schuldic gar:
dâ von ist er enwec geriten.
hie muoz belîben ungestriten:
daz ist mîn aller meiste klage'.

4600 zwîvel mit genuht *H*] zweiffelt mit gemuht.
4601 het in sîn herze dô gelesen *G*] in s. h. er hat g. (in s. herze hete g. *H*).
4604 wânde daz versûmen *H*] meynte deß versûnen.
4608 manic werder *H*] mannicher wehrden.
4611 durch schouwen aldâ hin gezoget *G*] durch sch. dahin gezogen (dâ durch sch. hin gezoget *H*, dô d. sch. dar g. *Le*).
4612 der *G*] *f.* hæte vil (hæte ê vil *J nach L*). gebroget *H*] gebrogen.
4613 dannoch *H* (dar nâch *L*).
4618 er komen *H*] verkommen.
4619 an *H*] in.
4620 selben *H*] selber.
4621 enwec *H*] hinweg.

die rede treip er alle tage
4625 in einem starken schalle.
dâ von si freuten alle
der lieben niuwemære sich
daz der fürste Dieterich
in Engelhartes bilde dô
4630 geriten kam ze hove alsô
und er den kampf geruochte wern.
'seht' sprâchen si, 'wer solte gern
Engelhartes schaden hie?
kein herze enwart getriuwer nie
4635 dan er in sînem lîbe treit.
vil wol er sîne stætekeit
bewæret hât ze dirre frist,
sît daz er wider komen ist
und in sîn triuwe dar zuo jaget
4640 daz er erlœsen wil die maget
ûz ir schemelichen nôt,
oder aber hie geligen tôt
an dem vil herten wîge.
in êren als ein vîge
4645 blüejet sîn vil süeziu jugent.
dâ von sîn ritterlîchiu tugent
gît alsô sælde rîchen schîn.
er möhte wol geriten sîn

4627 niuwemære *Le*] neuwe m. (niumære *H*, niuwen mære *J nach Jänicke ZfdA 14, 558*).
4629 in *H*] *f*.
4632 seht *H*] gesehend.
4634 enwart *H*] entward. nie (ie *H*).
4637 hât *H*] het.
4641 schemelichen *Spr*] schmehelichen.
4642 oder (od *H*). geligen *H*] ligen.
4644 in êren als *J Anm.*] sein Ehre als (sîn êre alsam *H*).
4645 blüejet sîn *J* (blüet unde sîn *H*).
4647 gît alsô sælde rîchen schîn *G*] gibt solchen glůcklichen schein (gît sô s. r. sch. *H Anm.*, *urspr.* alsô sæliclichen schîn).
4648 geriten sîn *H*] gereihten.

enwec in den sehs wochen,
4650 wolte er hân zerbrochen
sîner hôhen triuwe pfant
dar ûf sîn herze ie was gewant'.
Sus wârens in dem wâne
daz ûf des hoves plâne
4655 solt Engelhart dort strîten.
dâ wolte bî den zîten
für in kempfen Dieterich.
Ritschier der hæte schône sich
ûf den strît bereitet,
4660 alsam ein man der beitet
des kempfen der in sol bestân.
ein rinc was ûf des hoves plân
sô lanc und alsô wît gezetet
daz er belîben unzertretet
4665 von den rossen möhte
und er zwein mannen töhte
die dâ ze rosse wolten
vehten, sô si solten
vor dem künege strîten.
4670 nû wart ouch bî den zîten
Dieterich vil wol bereit.
ûf den hof wît unde breit
was geriten manic Tene
durch daz er dâ gesæhe jene
4675 mit ein ander kempfen.

4649 enwec in den sechs *H*] hinweg in sechs.
4652 ie *H*] *f.*
4653 sus *H*] so.
4659 bereitet *H*] bereit.
4660 alsam *G*] als. der beitet *H*] der da beit.
4661 kempfen *H*] Kempffers.
4663 alsô *H*] so.
4664 belîben *H*] bleibet.
4666 er] *f.* zwein mannen töhte *H*] zwene M. dâchte.
4667 dâ ze rosse *H*] z. Rossz da.
4668 sô *J nach Wa*] ob.
4669 dem *J nach Wa*] einem.
4670 ouch bî *H*] auch da bey.
4671 vil *G*] gar.
4675 mit ein ander kempfen *H*] die mit nander wolten k.

mit lügen ensol ich stempfen
niht an disen mæren.
man seit mir daz si wæren
gezieret wol nâch prîse.
4680 in einer slehten wîse
ir wâpenkleider wâren,
wan si enwolten vâren
niht hovelicher dinge,
durch daz in guot gelinge
4685 von gotes helfe würde schîn.
Dieterich, der êren schrîn,
der ie sîn herze ûf triuwe twanc,
der fuorte von samîte blanc
deck unde kursît wol gesniten.
4690 dar wider kam Ritschier geriten
ûf einem snellen rosse frech.
des wâpenkleit swarz als ein bech
von brûnîte was geweben.
man sach dran weder tier noch reben
4695 noch keiner leie vogel stân.
diu decke was gelîch getân

4676 mit lügen ensol (*Schr liest* sol) ich stempfen *J nach B z. Part. 4040*] die lagen in solchen stempffen (dô lac in swachen stempfen *H*, die lüge ensol ich st. *B später*).
4682f. si enwolten vâren niht hovelicher dinge *J*] sie entwolten v. h. d. (si niht wolten v. h. d. *H*).
4686 Dieterich *H*] Engelhart.
4687 der (den *Le*).
4692 des *J nach Wa*] das (daz *H*).
4693 von brûnîte was geweben *H*] von brauner Seiden w. gweben.
4694 dran *G*] *f.* (dâ *H*).
4695 noch keiner leie vogel stân *H*] n. keinerley Vogel dran stahn.
4696 f. diu decke was gelîch getân dem gewürhte enobene *J*] dem Deck gleich was gethan Was sie wichten obene (diu decke gelîche was getân [*Anm.*: sîme kursît obene] *H*, diu d. diu gelîch get. was gebriten obene *B*, der decke w. g. g. daz gewürhte enobene *Koch*; *G hatte Beitr. 37, 239 für* 4697 *vorgeschlagen* wan ez enwas niht obene, *in seiner Ausgabe aber den V. offen gelassen*).

dem gewürhte enobene
und stuont iedoch ze lobene
den ougen und dem muote wol.
4700 reht als man zwêne ritter sol
zieren harte schône
in einem slehten dône,
daz hæte an si der wunsch geleit.
si wâren z'orse baz bereit
4705 und ze stehelîner wât
danne ie gotes hantgetât
würde an keinen zîten.
si fuorten an den sîten
zwei swert vil edel umbe sich.
4710 der vil getriuwe Dieterich
kam geriten in den kreiz.
alsam ein lûter spiegel gleiz
sîn halsberc dâ ze wunder.
nû was sîn herze drunder
4715 wol tûsent warbe glanzer
an êren unde ganzer
an ellenthaften sinnen.
er wolte dâ gewinnen
oder aber gar verlieren.
4720 ouch mohte man Ritschieren
für einen man dâ schouwen
des herze nie verhouwen
mit zagelichem muote wart.

4698 und stuont iedoch ze lobene *J*] vnd st. jr doch zu lobene (unde st. iedoch ze lobe *H urspr.*).
4700 reht als *SchrG*] wie (als *H*).
4705 stehelîner *H*] ståhelim.
4706 ie (iender *Le*). gotes hantgetât *H*] Goldes Hand gethat.
4712 alsam *G*] als. lûter spiegel *H*] Spiegel lauter.
4713 sîn halsberc dâ *J nach B* (sîn halsberge al *H*).
4715 warbe glanzer *H*] werbe glentzer.
4716 unde ganzer *H*] vnd an gentzer.
4717 ellenthaften *H*] all enthofften.
4719 gar *G*] wolt (*f. H*).

hæt er sîn ungetriuwen art
4725 under wegen lâzen,
wer möhte sich gemâzen
ze sîner sterke danne?
er was ein helt ze manne:
dem er gelîch gebârte sich.
4730 er und der edele Dieterich
hæten strîtes sich bewegen
und wolten sîn ouch niht verpflegen.
Si wâren beide, sô man saget,
des muotes rîch und unverzaget
4735 und strîtes âne vorhte.
daz reht in manheit worhte
daz si gelîche erkanden.
Ritschier von Engellanden
verstuont sich wol der wârheit.
4740 dâ von er snelleclichen reit
des tages dâ ze strîte.
ouch weste bî der zîte
wol Dieterich daz mære
daz er unschuldic wære.
4745 dar umbe er willeclichen vaht.
ez machet ellen unde maht
dâ sich der man unschuldic weiz.
ze kempfen ritens in den kreiz
und hæten beide schulde niht.
4750 solt aber triuwe helfen iht
wider valschem muote,
sô mohte sich der guote
Dieterich wol fröuwen

4724 sîn *H*] seiner.
4725 lâzen *H*] gelassen.
4729 dem er gelîch gebârte *J nach B*] dem er gleich g. (dem gelîche gebârte er *H*).
4732 verpflegen *H*] entpflegen.
4733 wâren beide sô *H*] waren als.
4743 daz *H*] die.
4746 ellen *H*] elend.
4747 dâ *J nach B* (sôl *H*).
4749 und hæten *H*] vnd enthatten.
4751 valschem muote *H*] falschen muht.
4752 sich der guote *H*] sich gut.

und ûf Ritschieres dröuwen
4755 ahten harte kleine.
si kêrten vil gemeine
mit ein ander an den rinc.
ir muot ûf ernestlîchiu dinc
was gestellet unde ir flîz.
4760 der eine swarz, der ander wîz
kam geriten aldort her.
si fuorten ungefüegiu sper
und riten ros vil ûz erkorn.
diu manten si mit scharpfen sporn
4765 sô vaste bî den zîten
daz in daz bluot zen sîten
ûz begunde dringen
und ûf die liute springen
die dâ zuo dem ringe zugen.
4770 diu ros diu liefen niht, si flugen
noch vaster danne ein windes brût.
über gras und über krût
liezen si zesamene gân
sô krefteclichen daz der plân
4775 möhte erkrachen unde erwagen.
ûz herten steinen wart geslagen
daz wilde fiur an manegen steten.
daz schuof ir ungefüegez treten
des si dô pflâgen an der stunt.
4780 dâ wære ein kerze wol enzunt
von den ganstern unde ein schoup.
ei wie nâch in beiden stoup
daz fiur und der vil starke melm!
dâ was bedecket under helm

4755 harte *H*] gar.
4759 ir *H*] der.
4761 kam *H*] kamen.
4766 zen *H*] zu den.
4770 diu liefen *J*] lieffen (enliefen *H*).
4777 steten *H*] orten.
4779 des – an *H*] das – auff.
4782 ei (hei *Le*). nâch *J* *nach Wa*] nahe.
4783 der *H*] *f.* melm *H*] Mâlin.
4784 under helm *H*] vnder dem Helmin.

4785 manheit und ellenthafter muot.
sêle, lîp, êr unde guot,
diu lâgen ûf der wâge dâ
und müezen weizgot anderswâ
vil dicke noch dar ûfe ligen
4790 swâ man mit kampfe wil gesigen.
wan swer dar under eines wil
an strîte fürhten alze vil,
der hât si dâ vil schiere
verloren alle viere.
4795 Der dinge wol verstuonden sich
Ritschier unde ouch Dieterich.
dâ von si vorhte pflâgen niht.
si leiten in der wâge pfliht
swaz si rehtes wielten,
4800 durch daz si lop behielten
und liehten prîs dâ fünden.
des wilden meres ünden
vor einem sturmwinde
ze stade nie sô swinde
4805 geliefen noch gesluogen,
sô balde si dô truogen
diu snellen ros zein ander.
hæt aber ein galander
gesungen sîne wîse,
4810 die hete man ûf dem rîse
niht gehœret noch vernomen
dô si zesamene wâren komen
und si die schefte brâchen,

4785 ellenthafter *H*] elendhafften.
4795 verstuonden *H*] verstunde.
4797 pflâgen *H*] pflegen.
4799 rehtes wielten *H*] reihtens wůlten.
4800 durch *H*] darumb.
4804 ze stade *H*] zu schaden.
4805 gesluogen, *J nach B* (gesluogen: *H*).
4809 sîne wîse *H*] wol seiner w.
4810 die hete man ûf dem rîse *H*] die man auff keiner Reise.
4811 niht gehœret *J nach B*] nicht hab gehőrt (niht halbe geh. *H*).

wan si diu sper zerstâchen
4815 sô vaste daz des bruches klac
lûte alsam ein donnerslac
der spaltet daz geböume.
diu fürbüege und die zöume
zerbrâchen von den stichen,
4820 und schuof daz sicherlichen
ir alze hurteclîchiu just
daz ze stôze mit der brust
diu ros zesamene kâmen
und einen val dâ nâmen
4825 sô grimmen daz si von der nôt
gelâgen steinharte tôt.
wes möhten si dô bîten?
man sach si zuo den zîten
erbeizen nider ûf daz lant.
4830 diu swert begunden si zehant
zücken und roufen
und ûf ein ander loufen
snellecliche ân alle fluht,
als si diu wilde tobesuht
4835 hæte erzürnet und ergremet.
ir sin der was vil ungezemet
unde ir ellentrîcher muot.
si tâten als der lewe tuot
swenn in der hunger twinget:

4816 alsam *H*] als.
4817 der spaltet *H*] der da zerspellet.
4818 diu fürbüege und die zöume *H*] die Fůrbogen vnd die Zåune.
4819 stichen *H*] streichen.
4821 alze *G*] *f.* (vil *H*). hurteclîchiu just *H*] hertiglichen Justen.
4822f. daz ze stôze (*L*) mit der brust diu ros zesamene kâmen *H*] D. die Rossz mit den Brusten zu stôre zusammen kommen.
4824 nâmen *H*] nommen.
4825 grimmen *H*] grimmig (grimme *Le*).
4826 gelâgen steinharte *G*] St. lagen (lâgen st. *H*).
4827 wes möhten *H*] was mochten.
4834 tobesuht *H*] da besucht.
4836 der *H*] *f.*

4840 sô balde der geringet
nimmer nâch der spîse
als si nâch hôhem prîse
striten mit ein ander.
der wilde salamander
4845 des heizen fiures niht engert
sô vaste als dâ ir beider swert
nâch menschen verhe gruoben.
die schilde für sich huoben
ze schirmen die vil küenen.
4850 wer solte si versüenen?
ir slege wâren alsô grôz
daz ûf einen anebôz
geschach nie grœzer tengeln.
und solte ein kampf von engeln
4855 geschehen ûf der erden,
ern künde nimmer werden
wünneclicher umbe ein hâr.
diu sunne lûter unde klâr
gap in ze stiure liehten schîn.
4860 der himel als daz lâsûr vîn
was ob in zwein geverwet,
und hæte sich gegerwet
under in des hoves plân
in grüenez kleit vil wol getân.
4865 dar ûfe stuondens unde striten.
vil strenger nœte si dô liten
von der hitze bêdenthalp.
fleckeht als ein hindenkalp

4841 (niender *Le*).
4843 striten *H*] streiten.
4846 als dâ *J*] als (*H*, *Anm.* sô; alsam *B*).
4847 menschen verhe *H*] Menschenferre.
4848 schilde für sich *H*] Sch. sie vor sich.
4949 (schirme *Le*). vil *H*] *f.*
4852 einen *H*] einem.
4854 von *J nach Wa*] vor.
4856 ern künde *H*] er entkundte.
4861 zwein *H*] Zweigen.
4863 under *H*] vnden.
4864 grüenez *H*] grûnem.
4867 bêdenthalp *H*] bedecket halb.
4868 fleckeht *H*] Fleck. als (alsam *G*).

von sweize wart ir harnasch.
4870 des tages nie diu sunne erlasch:
dâ von si kumber truogen.
si stâchen unde sluogen
mit den vil scharpfen klingen
daz von den stahelringen
4875 geschach ein michel rîsen.
ûz dem gevegeten îsen
des fiures blic hôch ûfe stoup.
reht als der wint daz dürre loup
rêret in dem walde,
4880 sô viel dâ nider balde
von den schilden manic spân.
in hæten weizgot heiz getân
ir guoten swert des selben tages,
wan si wurden maneges slages
4885 benœtet und betwungen.
hei wie si beidiu klungen
ûf dem gesmîde lûter!
'got herre, dû vil trûter'
gedâhte dô vil maneges sin,
4890 'gib Engelharte den gewin
daz er behabe alhie den sic.
er strihte wol der Triuwen stric.'
Sus giengen si ze bîle

4875 michel rîsen *H*] mittel reisen.
4876 gevegeten *J nach Wo AfdA 13, 236*] gefochten (geflohten *H*).
4877 fiures blic *H*] Feuwerblick. hôch ûfe *H*] hohe auff (ûf hôhe *Le*).
4878 als *H*] wie.
4879 rêret *J nach Wo AfdA 13, 236*] kehret (kêret *H*, keret *B*).
4882 in hæten weizgot heiz getân *G*] es hat (weiß Gott) angethan (ez hæten weizgot guot getân *H*, ez hæten w. nie getân [4883 wan guotiu swert] *L*, ez muosten weizgot lange stân *J*).
4885 benœtet u. betw. *H*] Benôtiget v. bezw. (genœtet u. getw. *Le*).
4889 maneges *H*] mannich.
4891 behabe *G*] bekom (geneme *H*, bekor *J*). alhie den *H*] alle den.
4893 sus – ze bîle *H*] so – zu heyle.

vil harte lange wîle,
4895 daz si mit den wâfen
dicke ein ander trâfen
beide ûf îsen und ûf leder
und daz iedoch verwunt enweder
jener wart noch dirre.
4900 si wâren dannoch irre
tiefer wunden gar beliben.
ein ander si sich umbe triben
mit slegen und mit stichen.
Ritschier an Dieterichen
4905 ze leste dô mit zorne spranc.
ûf in lief er unde dranc
snellelichen als ein wilt.
durch wâfenroc und durch den schilt
sluoc er den ritter lobelich
4910 sô vaste daz er hinder sich
begunde strûchen an der stunt
und an der sîten wart verwunt
gar schedelichen in den lîp.
'daz Engeltrût ist iuwer wîp'
4915 sprach Ritschier dô von Engellant,
'daz bewæret hie mîn hant
oder aber ich belîbe tôt'.
hie mite er sich zem slage bôt
und wolte in aber treffen dô.

4894 vil *H*] vie.
4896 ein ander *H*] an einander.
4897 unde ûf *J*] vnd.
4898 daz *G*] *f.*
4899 jener – dirre *H*] keiner – dúrre.
4902 ein ander si sich umbe triben *H*] vnd einander sich vmbtrieben.
4904 an *H*] vnd.
4906 in *H*] *f.* (in sô *G*).
4907 snellechlichen *H*] schnelliglich.
4908 roc – den *H*] *f.*
4911 strûchen *H*] straucheln.
4912 an *H*] in.
4913 gar (vil *Le*).
4914 ist *H*] *f.*
4917 oder aber *G*] oder. zem *H*] zum (ze *Le*).
4919 in *H*] *f.*

4920 nû engeriet ez niht alsô:
wan der getriuwe Dieterich
der spranc ûf und werte sich
vor solhem ungelücke.
den schilt warf er ze rücke
4925 durch sînen grimmeclichen zorn
und nam daz swert vil ûz erkorn
ze beiden sînen handen.
Ritschiere ûz Engellanden
underlief er sînen slac,
4930 dar ûfe er sich mit flîze wac,
und sluoc in ûf daz houbet sô
daz von dem herten stahele dô
flouc des wilden fiures melm
und im verrücket wart der helm
4935 sô vaste daz er niht ensach.
und alsô schiere daz geschach,
dô wolte er mit der linken hant
den helm hin wider hân gewant
daz er im rehte stüende als ê.
4940 wes möhte Dieterich dô mê
beiten unde warten?
in sîner wunne garten
sæt er im leides sâmen.
der hant begunde er râmen
4945 dâ mite er zôch den helm hin wider,
und sluoc si daz si viel dâ nider
ûf des hoves anger.
dâ von enbeit niht langer
Dieterich der küene man.

4920 nû engeriet ez *G*] nun es geriet (nû geriet ez *H*).
4922 der spranc ûf und *G*] spr. auff vnd (spranc aber ûf und *H*; *J urspr.* spranc ûf sâ unde, *dann in Anm.* spr. û. geswinde und *oder* spr. wider ûf und).
4928 ûz *H*] von.
4931 houbet sô *H*] Haupt also.
4933 flouc *H*] floh.
4936 schiere daz *H*] schier da das.
4939 stüende *H* (stuonde *J*).
4945 hin *H*] *f.*
4946 dâ *H*] *f.*
4949 Dieterich *H*] Rietschier.

4950 er lief in aber gæhes an
und wolte in volle nider slahen
und dâ vergiezen manegen trahen
sins ungetriuwen bluotes.
dô was der künec des muotes
4955 daz er im daz niht vertruoc.
in dûhte sînes schaden genuoc,
wande er was sîn œhein.
des hiez er under disen zwein
den vil ungefüegen strît
4960 scheiden bî der selben zît.
Sus nam der kampf eine ende.
Ritschier muost einer hende
darben alle sîne tage
und als ein ungetriuwer zage
4965 enpfâhen laster unde schimpf.
mit hazze koufte er ungelimpf
und schaden grôz mit nîde.
Dieterich der blîde
wart in êren funden.
4970 man heilte im sîne wunden
und hiez in dâ in freuden leben.
im wart vil hôhez lop gegeben
als einem sigerîchen man.
nû daz er sîne kraft gewan
4975 und er vil schône was genesen,
dô sprach der künec ûz erlesen
'Engelhart, sît daz dû dich
durch mîne tochter wünneclich
hâst geboten in den tôt,

4950 gæhes *H, Schr*] gâhling (gælîche *J*).
4951 und ... volle nider slahen *J*] vnd ... vollend erschlahen (unde ... volle erslahen *H*).
4961 sus *H*] so.
4967 nîde *H*] nůde.
4968 der blîde *H*] mit blůde.
4969 (in den ê. *G*).
4970 (*Le str.* im *od. liest den V.* man heilte in sîner w.).
4971 hiez *H*] ließ.
4977 sît *H*] *f.*
4978 wünneclich (minneclich *H*).

4980 und ûz vil schemelicher nôt
enbunden hâst ir reinez leben,
sô wil ich dir ze wîbe geben
die klâren und die werden.
ich sol dich ûf der erden
4985 ergetzen daz dû hâst gestriten
und grôzen kumber hâst erliten
von lügelichen mæren.
ich wil an dir bewæren
daz ich dienest lônen kan'.
4990 alsus besande er sîne man
und von dem künicrîche
die fürsten algelîche.
Er machte ein rîlich hôchgezît
und leite Dieterîche sît
4995 die süezen Engeltrûten zuo.
den âbent und den morgen fruo
geschach dâ kurzewîle vil.
justieren, tanzen, seiten spil
wart gesehen unde erkant.
5000 pferit, silber und gewant
wart umb êre dâ gegeben.
man sach dâ junge und alte leben
in rîchem hoveschalle.
die liute wânden alle

4980 und ûz vil *J*] auß jr viel (und ûz ir *H*). schemelicher *Schr*] schmehelichen (smæhelichen *H*, smæhelicher *J*).
4981 reinez *H*] einigs.
4982 ze *H*] zum.
4984 der *H*] *f.*
4987 lügelichen *Schr*] erlogenen.
4989 dienest *J nach B*] Dienste (dienstes *H*).
4990 alsus besande er sîne *H*] also bestund er seinen.
4992 algelîche *H*] alle gleiche.
4993 Er machte (tet *Le*) ein rîlich hôchgezît *Le*] Er machte ein reichlich Hochzeit (Er m. rîche hôchgezît *seit H*).
4995 Engeltrûten *J nach Wa*] Engeltrut (Engeltrûte *H*).
4998 justieren *H*] jubiliern.
5001 gegeben *H*] geben.
5004 wânden *H*] meinten.

5005 und ouch der künec von hôher art
daz Dieterich wær Engelhart.
des selben hæt ouch Engeltrût
beide stille und über lût
in ir herzen wol gesworn,
5010 wan daz der fürste wol geborn
leite ein swert enzwischen sich
und daz wîp vil wünneclich
swenn er bî ir nahtes lac.
des selben sîn geselle pflac
5015 mit sîner frouwen lîbe.
bî des andern wîbe
lac enweder under in.
ir stæte gap in kiuschen sin
alsô daz an den frouwen
5020 geselleschaft verhouwen
noch ir triuwe niht enwart.
si wurden beide wol gespart
bî den gesellen reine
vor aller hande meine.
5025 Dô nû in Tenemarken
mit hôhen êren starken
diu hôchgezît ein ende nam,
dô reit der fürste lobesam,
Dieterich, von dannen.
5030 wîben unde mannen
seite der vil stæte,
wan er gesiget hæte,

5005 ouch *G*] *f*.
5007 des selben *H*] dasselbe.
5010 daz *H*] *f*.
5011 enzwischen *H*] hin zwischen.
5012 wünneclich (minnec-lich *H*).
5013 (ir des n. *G*).
5017 in *H*] ein.
5018 in kiuschen sin *H*] ein keuschen schein.
5021 enwart *H*] entward.
5025 dô – Tenemarken: starken *H*] WIe – Dennemarck: starck.
5027 diu hôchgezît *H*] die Hochzeit.
5030 wîben *H*] Weiber.
5032 wan *H*] weil.

sô wolte er wallen etewar
gote zeinem dienste gar,
5035 der im geholfen hæte dô.
vil hôhes muotes unde frô
îlt er hin gegen Brâbant.
für sîn eigen hûs zehant
reit er eins nahtes dô man slief.
5040 zuo dem wahtære er dô rief,
er sprach ‘ganc, sage dem herren dîn
daz aber der geselle sîn,
Engelhart, hie vor gehabe,
daz er her welle zou mir abe
5045 kêren: ich wil in gesehen’.
daz liez der wahtære geschehen.
er macht ez bî der selben stunt
dem werden Engelharte kunt.
Der mære und dirre boteschaft
5050 wart von herzen freudehaft
der edele und der guote.
er kam in hôhem muote
für daz tor gegangen.
dâ wart von ime enpfangen
5055 Dieterich der klâre
mit rede und mit gebâre
baz dan ich gesagen müge.
waz hülfe, ob ich daz mære züge
ze langer teidinge?
5060 er seite im sîn gelinge

5033 wallen *H*] walen.
5037 h. gegen *G*] h. gen (*H*, engegen *Le*).
5040 zuo dem *G*] zu einem (zeinem *H*, ze deme *J* *nach* *Wa*).
5041 er *H*] *f*.
5043 gehabe *H*] habe.
5044 her *Le*] *f*. (dâ *G*). abe *H*] herabe.
5047 machtez *J*] machte.
5048 kunt. *J* (kunt *H*).
5049f. Der mære und dirre boteschaft wart *J*] der m. vnd der b. w. (daz mære und die boteschaft. des wart *H*, daz m. und ouch die etc. *B*).
5056 rede *H*] reden.
5058f. ob ich daz mære züge ze langer teidinge *H*] daß ich die m. zôge zu langer bedinge.
5060 sîn *J* (sîne *H*).

vil gar biz ûf ein ende,
wie Ritschier einer hende
müeste darben immer mê,
und daz im Engeltrût zer ê
5065 gegeben würde an sîner stat.
rîten er in schiere bat
ze Tenemarken in daz lant.
er gap im pfert und sîn gewant
und hiez in wider hinnen varn.
5070 Engelhart, der Sælden barn,
seite im danc gnâd unde prîs
wol tûsentvalt in manege wîs
und îlte dô vil starke
hin gegen Tenemarke.
5075 Dâ wart der edele funden
in freuden zallen stunden,
er und diu sælige Engeltrût,
beide stille und über lût
an stæter minne sunder wanc.
5080 dar nâch sô was vil harte unlanc
daz der künic reine starp
und Engelhart die krône erwarp
und des rîches stuol besaz.
geloubet endelichen daz,
5085 fürsten, grâven, dienestman,
vielen den getriuwen an
mit guote und ouch mit lîbe.
bî dem vil schœnen wîbe

5067 ze Tenemarken *H*] zu Dennemarck.
5069 und hiez in wider hinnen *G*] vnd ließ jn w. (unde hiez in wider *H*).
5070 Sælden barn *H*] seldenbaren.
5071 seite im danc gnâd unde prîs *H Anm., im Text:* seit im genâde unde prîs.
5074 hin gegen *J*] dahin gen (dâ hin gên *H*, engegen *Le*).
5079 minne *H*] Lieb.
5081 reine (*Schr vermutet* Fruote).
5082 und *H*] *f.* (5081 f. *liest Le mit d. Dr.* ... starp. Engelhard...).
5085 dienestman *H*] vnd D.
5086 den *H*] dem.

gewan er ouch zwei kindelîn,
5090 und machte ir dô mit rede schîn
die sache und alle die geschiht,
wan si frâgte, sô man giht,
war umbe er hæte nahtes hin
beide enzwischen si und in
5095 sîn swert geleit blôz unde bar.
hier an sô wart er wol gewar
daz Dieterich der stæte
an im behalten hæte
geselleclîche wârheit.
5100 die selben frâge niht vermeit
Dieteriches frouwe dort.
dâ von er ganzer triuwen hort
spürte an Engelharte sît.
si wurden beide bî der zît
5105 von herzen freudebære
und seiten dô ze mære
den hôchgelobten wîben
wie von ir zweier lîben
diu wandelunge was geschehen
5110 und wie der ander was gesehen
vil schône für den einen.
den klâren und den reinen
frouwen tet daz mære wol.
si wurden hôher wunne vol
5115 und wart in sanfte gnuoc hie mite.
Engelhart der wol gesite
lebte ân aller sorgen pîn.
der vater und die bruoder sîn
wurden schiere dô besant.

5094 enzwischen *Le*] zw.
5099 geselleclîche *H*] geselliglichen.
5102 er *H*] jr.
5110 der ander was gesehen *H*] der andern was geschehen.
5111 für den *H*] vor dem.
5113 daz *H*] die.
5115 gnuoc *J* (genuoc *H*).
5118 bruoder *H*] Mutter.
5119 schiere dô *H*] da schier da.

5120 er machte ûz in ze Tenelant
herzogen unde grâven hôch.
sîn dinc er allez zime zôch
in ganzer wirde schône.
er kunde wol mit lône
5125 rîlîche die gemieten
die dâ ze hove rieten
sîn êre willeclichen ê.
waz darf ich langer rede mê?
diu sælde bôt im liebes wal
5130 sunder mâze und âne zal:
dâ wider sîn geselle
gewan daz ungevelle
daz er von hôher werdekeit
in swæren kumber wart geleit.
5135 Nû merket wie daz hüebe sich.
dô der getriuwe Dieterich
kam von dem strîte wider heim
und im der sælden honicseim
nâch wunsche lange zuo geflôz,
5140 dô wart in ungemüete grôz
verkêret al sin wunne gar.
sîn spilende freude liehtgevar
in trüebez leit sich wandelte.
sîn lîp der wol gehandelte
5145 wart vil schiere dô geslagen
mit dem vil armen siechtagen
den man dâ heizet miselsuht.

5120 ûz in (si *Le*). ze Tenelant *H*] zu dienen Land.
5122 sîn – zime *H*] ir – zu jm.
5125 gemieten *H*] genieten.
5126 dâ ze hove] zu dem H. (zem hove *H*). rieten *H*] ritten.
5129 diu] *f*. Sælde bôt im liebes wal *H*] glůckliche boht jm leides w.
5135 hüebe *H*] hube.
5140 in *H*] sein.
5141 verkêret al *H*] verkehrt vnd all.
5142 freude liehtgevar *H*] freundtlich gefahr.
5147 heizet miselsuht *H*] heißt die Muselsucht.

diu viel ûf in mit der genuht
daz er mitalle ûzsetzic wart.
5150 im wurden hâr unde bart
dünn unde seltsæne.
sîn ougen, als ich wæne,
begunden sich dô gilwen.
als ob 'si æzen milwen,
5155 .sô vielen ûz die brâwen drobe.
sîn varwe, diu dâ vor ze lobe
liutsæleclich was unde guot,
diu wart noch rœter danne ein bluot
und gap vil egebæren schîn.
5160 diu lûtersüeze stimme sîn
wart unmâzen heiser.
im schuof des himels keiser
grôz leit an allen enden.
an füezen unde an henden
5165 wâren im die ballen
sô genzlich în gevallen
daz mich sîn immer wundert.
sîn lîp der wart gesundert
vil gar von schœnen sachen
5170 und wart mit ungemachen
jæmerlichen überladen.
und dô der edele fürste schaden
begunde merken unde spehen,
dô wart sîn junger lîp gesehen
5175 trûric unde freuden bar.
ouch wart sîn werdiu hoveschar

5148 genuht *H*] gerucht.
5149 mitalle *R*] vberall (*f.* *H*, al *B*, betalle *JG*).
5150 hâr unde bart *J* (hâr und ouch der b. *H*).
5153 dô gilwen *Le*] zu gilwen (ze g. *H*, vergilwen *JG*).
5154 milwen *H*] die M.
5157 liutsæleclich was *G*] leutselig was (was liutsælic *H*).
5158 danne ein *H*] dann kein.
5162 schuof *H*] geschuff.
5169 von *H*] an (*Spr*).
5171 jæmerlichen *H*] jâmmerlich.

betrüebet und diu lantdiet
sô vaste daz si balde schiet
ûz allen freuden sich zehant.
5180 swem ie sîn tugent was bekant
und sîn vil hôchgebornez leben,
dem wart dô leides vil gegeben
um sînen jungen siechen lîp.
sîn frouwe, daz vil reine wîp,
5185 diu süeze sældenbære,
diu klagete sîne swære
und weinde sînen smerzen
mit ougen und mit herzen
dick und ze maneger stunde.
5190 sîn leit gienc ir ze grunde
und sîn vil strengez ungemach.
und aber dô man in gesach
sô wandelbæren an der hût,
dô wart er sînem wîbe trût
5195 und allen sînen kunden
gar widerzæme funden.
Swer in ie gerne sach dâ vor,
der suochte nû der flühte spor
und îlte von im alzehant.
5200 vil manic arzât wart besant,
der im gehelfen kunde niht.
er was ân alle zuoversiht
daz er genesen möhte
und im kein helfe entöhte
5205 ze sînem grôzen siechtagen.
dâ von der fürste muoste klagen

5177 diu lantdiet *H*] die Landleut.
5178 schiet *H*] scheid.
5180 ie *G*] *f.*
5185 diu süeze sældenbære *H*] die sûssen glücklich bere.
5188 und mit *H*] vnd.
5189 und *H*] *f.*
5193 wandelbæren *H*] wandelbar.
5196 widerzæme *H*] wider zusammen.
5197 ie *G*] *f.* sach dâ vor *H*] sahe vor.
5200 besant *H*] bekannt.
5204 entöhte *J nach B*] entdochte (töhte *H*).

von schulden wol sîn arebeit.
vil bitter was sîn herzeleit
und jæmerlich sîn ungehabe.
5210 er tet sich aller freuden abe
und wonte in klegelicher nôt.
er wolte sîn gewesen tôt
für daz vil jâmerhafte leben
daz im nû leider was gegeben
5215 von sîner sühte manicvalt.
im wart enzücket sîn gewalt
an liuten unde an lande.
nû daz er daz erkande
daz er begunde unmæren
5220 den sînen unde swæren,
dô bat er im mit triuwen
stiften unde biuwen
ein hiuselîn doch etewâ
durch daz er drinne möhte sâ
5225 belîben sô gar eine.
nû flôz ein wazzer reine
vil nâhe bî der bürge sîn.
dâ was ein wert gewahsen în
der michel unde schœne was.
5230 dâ sprungen bluomen unde gras

5208 vil *Le*] Gar.
5212 (er welte den gewissen tôt *Le*).
5213 für *H*] vor.
5214 nû *G*] *f*.
5215 sühte *H*] Seuche.
5217 lande *H*] Landen.
5219 unmæren *H*] vmb Ehren.
5220 unde swæren *H*] vnd den schweren.
5221 im *H*] jn.
5223ff. ein hiuselîn doch etewâ, durch daz er drinne möhte sâ belîben sô gar eine *G*] Ein Hauß allein D. d. er darinne m. da Bleiben so gar alleine (ein hûs aleine etewâ, durch daz er inne möhte dâ belîben sô gar eine *H*, etewâ ein hiuselîn, durch daz er drinne möhte sîn, die wîle er lebete, aleine *J*).
5227 vil *Le*] Gar.
5229 michel unde *Roth z. Schwanr.* 1304, *auch Schr*] groß vnd (gr. und ouch vil *H*, grôz unde *J*).
5230 dâ *H*] darinn.

vil wünneclichen inne,
und wuohsen nâch gewinne
dâ vîgen unde mandelrîs.
alsam ein irdesch paradîs
5235 beschœnet stuont diz einlant.
swem ie gezierde wart bekant,
der möhte ez balde gesten.
von nüzzen und von kesten
wuohs dar inne manic soum.
5240 ouch stuont der berende ölboum
vil gar nâch vollem wunsche dâ.
man schouwet hie noch anderswâ
deheinen wert sô frühtigen.
des wart dem miselsühtigen
5245 Dieterîche ein hûs dar în
gebiuwen nâch dem willen sîn.
Im wart bereit vil guot gemach.
daz wazzer und der schœne bach
fluzzen um den selben wert
5250 im was dâ wunnen vil beschert
von liehter ougen weide.
kneht unde megede beide
ze dienste man im zuo beschiet.
vil harte wol man in beriet
5255 spîs unde liehter kleider.
dar nâch sô wart er leider
gescheiden vil geswinde
von sînem ingesinde
und in den wert gefuort hindan.
5260 friunde, mâge, dienestman

5234 alsam *G*] als.
5235 diz einlant *H*] diß ein Land.
5243 deheinen *H*] keinen.
5244 des *H*] das.
5246 gebiuwen *H*] gebauwet.
5247 guot *H*] *f.*
5248 der *H*] die.
5253 beschiet *H*] beschicht
5254 wol *H*] *f.* beriet *H.*] bericht.
5255 liehter *H*] liechte.
5256 leider *H*] seider.
5259 (gefüeret dan *Le*).
5260 (*G setzt* wîp *vor* vr. *ein*). mâge, dienestman *G Schr*] Mõge vnd (*HJ*).

hiez er belîben hinder im,
als ich diu mære alhie vernim,
und îlte schiere sâ zehant
mit jâmer in daz einlant
5265 dâ sîn wonunge solte sîn.
er kêrte gedulteclîche drîn
und was dar inne manegen tac,
daz man sîn doch vil schône pflac
mit guoter handelunge.
5270 swaz der getriuwe junge
mohte geischen alle zît,
daz wart im âne widerstrît
von der burc gefüeret dar.
im was betrüebet alsô gar
5275 sîn herze und sîn getriuwer muot
daz im gemach noch ander guot
gehelfen niht enmohte.
vil lützel ez im tohte
swaz man im dinges brâhte,
5280 wan er ze vil gedâhte
an wîp und guot, an liute und lant,
daz man im hæte ûz sîner hant
genomen allez bî der zît.
ouch was sîn kumber alsô wît
5285 von des lîbes smerzen
daz er in sînem herzen
deheine ruowe mohte haben.

5261 hiez *Le*] Ließ.
5263 sâ *J nach Wa*] da.
5264 einlant *H*] einig Land.
5266 er kêrte gedulteclîche drîn *H*] er kehrt gedůltiglich dareyn (gedulteclîche er kêrte drîn *J*).
5268 daz *H*] da.
5269 mit *H*] viel.
5270 junge *H*] Kunde.
5271 geischen *J nach B*] geheißen (geheizen *H*).
5273 gefüeret dar *H*] dar gefůhret.
5274 im was betrüebet alsô gar *H*] Ime was also betrůbet.
5275 und sîn *H*] Sinn vnd
5278 lützel *G*] wênic.
5281 (*H streicht das zweite* an, *J liest den V.* an wîp, an liute, und an sîn lant).
5287 deheine – haben *J nach B*] kein – gehaben (deheine – gehaben *H*).

er was in jâmer sô begraben
daz anders er engerte
5290 wan daz in got gewerte
des tôdes bî den stunden,
durch daz er würde enbunden
von sîner grimmen swære.
im was der lîp unmære:
5295 daz kunde er wol erscheinen:
wan siufzen unde weinen
was sîn grœste unmuoze dô.
mit disen dingen unde alsô
Dieterich dô lebete,
5300 der ie vil schône swebete
in werltlicher wünne
und über al sîn künne
ein spiegel unde eine bluome schein.
alsam ein lieht karfunkelstein
5305 was sîn lop durchliuhtic ê,
daz nû engap niht schînes mê,
wand ez alsam ein trüebez glas
verdorben und verblichen was.
Nû kam ez zeiner stunde
5310 daz sich der ungesunde
in dem werde ûf eime plân
zeinem brunnen wolte ergân

5288 sô *H*] *f.*
5289 d. anders er engerte *R*] D. er nicht a. entgerte (d. e. n. a. gerte *seit H*, d. nihtes er engerte *Le*).
5291 des tôdes *H*] deß Todte.
5293 von sîner grimmen swære *H*] v. seinem grimme schwere.
5295 daz *H*] deß.
5296 siufzen *H*] seutzen.
5297 grœste (meiste *Schr*). unmuoze *H*] vnmasse.
5300 ie (ê *seit H*).
5301 werltlicher *H*] gewaltiglicher.
5302 al sîn künne *H*] alle sein Kinne.
5305 alsam *G*] als.
5304 durchliuhtec *H*] durchleuchtet. ê, *G*] ehe (ê: *H*).
5306 nû *G*] *f.*
5306 engap *H*] entgab.
5307 alsam *H*] als.
5311 eime *H*] einen.
5312 ergân *H*] gahn.

der dâ vil wünneclichen stuont.
er tete alsam die siechen tuont,
5315 die senftes luftes ruochent
und ougen weide suochent
durch bezzerunge dicke.
vor der sunnen blicke
truoc er einen pfâwenhuot
5320 und ein gewant von sîden guot
daz als ein liehter spiegel was.
hie mite kam er durch daz gras
geslichen zuo dem brunnen kalt.
dâ stuont von böumen obe ein walt
5325 vil maneger hande leie.
der liehte süeze meie
was komen dô mit sîner maht
dâ von der brunne was bedaht
mit wünneclichen esten.
5330 ûz grüenem loube glesten
sach man die snêwîze bluot.
diu was des brunnen schatehuot
und hæten sich gehûset drîn
diu wilden waltvogellîn
5335 vor der hitze durch gemach.
vil schœne was ir überdach
von bletern und von rîse.
ir niuwen sumerwîse
erklancten si dar under
5340 ze wunsche und ze wunder
und triben des gnuoc unde vil.
der ôren und der ougen spil
was dâ vil harte manecvalt.

5314 alsam *H*] als.
5318 vor *H*] von (*J nach B*, vür *Wa*).
5321 als ein liehter spiegel was *H*] also liechte was.
5327 maht: bedaht *H*] krafft: bedafft.
5330 grüenem *H*] grunendem.
5336 überdach *H*] vber tag.
5339 erklancten *H*] verklengeten.
5340 ze wunsche *Le*] zu wunder (ze wunder *H*, ze wunnen *JG nach Wa*).

der brunne lûter unde kalt
5345 gienc rûschende unde klingende.
sô wâren dâ bî springende
rôsen rôt durch grüenen klê.
waz dorfte man dâ wunne mê
wan der sumerlichen zît
5350 ûf dem vil schœnen plâne wît?
Der jâmerhafte Dieterich
ûf sînen elenbogen sich
leinte zuo dem brunnen
und barc sich vor der sunnen
5355 hin under dâ ez schate was.
wazzer, bluomen unde gras
sach er mit vollen ougen an.
dâ von gedenken er began
waz der meie freuden gît.
5360 'ach' sprach er, 'schœniu sumerzît,
wie kanstû dem gesunden
mit freuden under stunden
muot erhœhen unde leben!
nû soltestû mir freude geben
5365 mit dînen wünneclichen tagen.
nû bin ich sô mit siechtagen
begriffen ûf der erden
daz ich erfreuwet werden
niht mac von dîner süezen kunst.
5370 ich hân enpfangen leides gunst
und lange wernder sorgen pfliht,
dar inne ich âne zuoversiht

5345 rûschende unde klingende *H*] rauschen vnd klingen.
5346 springende *H*] springen.
5349 wan (an *seit H*).
5353 leinte *H*] lenckte.
5354 und barc *H*] vnd verbarg.
5358 da vôn gedenken er began *H*] dauon er dencken begahn.
5360 ach *H*] auch.
5362 under *H*] vnd mit.
5363 muot erhœhen unde leben *J nach B* (den m. erh. und daz l. *H*).
5371 lange *H*, *Schr*] langer (*J nach B*).

muoz begraben immer ligen.
got herre, wes hât mich gezigen
5375 dîn râche unmâzen grimmeclich
diu nû gevallen ûfe mich
gar ungenædeclichen ist?
jâ reiner unde süezer Krist,
waz hân ich gegen dir getân
5380 dâ mite ich sô gedienet hân
dînen bitterlichen zorn?
wâ von hân ich sô gar verlorn
liute, lant, guot unde lîp,
mâge, friunde, unde wîp,
5385 und alle mîne sælekeit?
daz langer mich diu erde treit,
daz ist mîn aller meiste klage,
sît daz mîn armer lebetage
sô gar unnütze worden ist.
5390 ach brœdiu werlt, sich wie dû bist
aller missewende vol!
niemen dir getriuwen sol,
wan dû vil swache lônen kanst.
nâch liebe dû vil leides ganst:
5395 daz hâstû wol bewæret mir.
ich hân gedienet lange dir:
dar umbe wirt mir nû gegeben
niht anders wan ein armez leben
dar inne ich niht genesen mac.
5400 reht als der wilde donerslac
hât troffen mich der sorgen schûr.

5374 wes *H*] was.
5375 grimmeclich *GSchr*] grimlich (grimmelich *H*).
5376 ûfe *H*] auff.
5377 gar (vil *Le*). ist *H*] Geist.
5380 gedienet *Le*] verdienet.
5382 wâ von *H*] dauon.
5384 (mâge, friunt, man unde wîp *JG nach B*).
5388 sît *H*] biß.
5390 broediu werlt, sich wie dû bist *H*] Bruder wer ich wie du bist.
5398 wan *H*] dann.
5401 sorgen schûr *H*] Sorgenschnur.

sô bitter noch sô rehte sûr
enkunde nimmer werden
kein jâmer ûf der erden
5405 alsô mîn kumber den ich dol.
ouwê daz mich diu sunne sol
beliuhten und des tages glanz
und daz mich slinden alsô ganz
ensol daz abgründe
5410 wan daz ich grôze sünde
entsitze durch der sêle nôt,
ich tæte ê selbe mir den tôt
ê daz ich langer wolte leben
und in sô kranker wirde sweben
5415 daz ich mir selben wære
und al der werlt unmære.'
Sus lac der tumbe klagende
und dise rede sagende
der ich bin zeinem ende komen.
5420 er hæte in sîne hant genomen
vil riuweclîche ein wange
und was von deme gange
den er zuo dem brunnen gie
sô gar unmehtic worden hie
5425 daz er entslief nâch sîner klage.
nû wolte got bî deme tage

5402 sô bitter – sûr *H*] sie b. – fur.
5403 enkunde *H*] in kundte.
5407 des tages glanz *J*] der Sonnenglantz (der sunnen glanz *H*, der sternen gl. *B*).
5408 (*Le str.* und *u. schiebt* niht [*aus* 5409 !] *nach* mich *ein*).
5409 ensol *Le*] Nicht entsol (niht sol *H*, ensol n. *G*). daz abgründe *H*] die Abtgründe.
5410 grôze (michel *Schr*).
5412 ê *G*] *f.* selbe *J*] selber.
5413 ê daz *H*] eh dann daß.
5414 sô *H*] *f.*
5415 selben *H*] selber.
5416 al der *H*] aller der.
5417 sus *H*] so. tumbe (junge *HJ*).
5419 zeinem *G*] zu eim (zeim *H*).
5425 sîner *J*] der (dirre *H*).

ein wunder an im briuwen
und wolte in sîner triuwen
lâzen dô geniezen,
5430 wan in begunde erdriezen
der bitterlichen swære
die der vil triuwebære
leit ân alle sîne schult.
gelouben ir daz gerne sult
5435 âne schimpf und âne spot
daz im der ûz erwelte got
sant einen boten wunnesam.
ein engel für in schône kam
hin under daz geböume
5440 und liez im süeze tröume
in dem slâfe werden kunt.
er sprach dô wider in zestunt
'Dieterich, dû solt genesen.
der reine got vil ûz erlesen,
5445 der triuwe sich versinnet
und hôhe wârheit minnet,
der wil dich lân geniezen
daz dû ze herzen sliezen
ie woltest hôher triuwen hort.
5450 in sînem liehten himele dort
hât er sich dîn erbarmet
daz dû sô gar verarmet
an leben unde an guote bist.
er wil dir geben die genist
5455 wider und dîn êre gar.
ze Tenemarke balde var:
dâ vindestû gesuntheit.
Engelhart was ie bereit

5427 im briuwen *H*] jn bereuwen.
5430 erdriezen *H*] verdrießen.
5434 gelouben ir daz gerne sult *H*] glaubet jr das jr g. solt.
5437 einen *H*] ein.
5438 für *H*] vor.
5446 (wârheit hôhe *Le*). minnet *H*] gewinnet.
5448 sliezen *H*] fließen.

daz er gesellescha ft dir büte.
5460 dâ von wil got daz er verschüte
durch dich sîner kinde bluot,
daz er vil williclichen tuot,
ob dû dir selben heiles ganst,
wan dû genesen niht enkanst
5465 ê sîner zweier kinde leben
für dich ze pfande wirt gegeben.
und wirstû mit ir bluote rôt,
der zweier kinde, in dîner nôt
gebadet und gestrichen,
5470 sô bistû sicherlichen
von dîner miselsuht ernert.
kein ander salbe ist dir beschert
dâ mite man dich heile noch.
dâ von dû balde kêre doch
5475 zuo dem trûtgesellen dîn.
daz hât dir unser trehtîn
geboten, vil getriuwer man.'
hie mite schiet der engel dan
und kêrte wider schône
5480 ze gotes himeltrône.
Nû was ouch Dieterich zehant
erwachet unde hæte erkant
in sînem slâfe daz gebot
daz im der reine süeze got
5485 bî dem engel machte kunt.
dâ von sîn riuwic herze wunt
wart betrüebet deste mê,
wan im tet inneclichen wê
daz ime was getroumet sô.

5459 büte *H*] beute.
5460 daz er verschüte *G*] das nun scheute (daz er nû schüte *H*).
5463 selben *H*] selber.
5467 wirstû *H*] wůrdestu.
5469 gestrichen *Le*] bestriechen.
5475 trûtgesellen. *H*] viel Gesellen.
5477 getriuwer *H*] getreuwen.
5480 himeltrône *H*] Himmelkrone.
5482 hæte *H*] hat.
5483 daz *G*] die (diu *H*).
5484 daz (diu *H*).
5489 was *H*] ward.

5490 'jâ herre' sprach er aber dô,
'waz mac bediuten dirre troum?
wer hât mich under disen boum
durch slâfen und durch ruowe brâht?
ich hæte unrehte mich bedâht,
5495 dô mich trâkheit nider warf.
diu mære der ich niht bedarf,
diu sint mir komen hiute für.
dar an sô prüeve ich unde spür
daz mîn got kleine ruochet,
5500 sît daz er mich versuochet
mit üppeclichen tröumen.
mich vuorte an sînen zöumen
Unheil unmâzen starke,
sô ich ze Tenemarke
5505 in dem sinne kêrte
daz Engelhart verrêrte
durch mich sîner kinde bluot,
wan niemen ez ûf erden tuot
daz er mit sînes lîbes fruht
5510 mich lœse von der miselsuht
und ûz der grôzen plâge mîn.
nû sî daz er diu kindelîn
vil gerne durch mich tœte
und mich von mîner nœte
5515 dâ mite welle enbinden,
sô sol ich doch erwinden
an alsô grôzem meine,
daz ich ir bluot vil reine
giezen lâze ân alle schult.
5520 ich wolte ê lîden mit gedult
dise lesterliche nôt

5495 (diu trakh. *G*).
5499 kleine *G*] wênic.
5501 üppeclichen *H*] ûppelichen.
5502 vuorte *H*] forchte.
5504 sô *J nach Wa*] wann (swenn *H*).
5508 nieman ez *G*] es niemand.
5516 erwinden *H*] verwinden.
5517 meine *H*] weine.
5518 vil *H*] *f*.

ê daz si immer durch mich tôt
als ungedienet müesten ligen.
wes hæte ich danne den gezigen
5525 der an mir triuwe nie zerbrach,
sô ich mîn siechez leben swach
mit sînen kinden wolte ernern?
got sol mir ê den tôt beschern
ê daz ich Engelharten,
5530 den liehten und den zarten,
immer sô beswære
und ich an im bewære
gar ungetriuwelichen site.
er ist mir ie gewesen mite
5535 in lûterlicher stæte.
dâ von ich kûme tæte
wider in die missetât
daz mîner siecheit würde rât
und mîner jâmersühte
5540 von der getriuwen frühte
diu von sîme lîbe ist komen.
sol mir kein arzenîe fromen
ze mîner swære diu mich traf
wan sîner kinde rôtez saf,
5545 sô bin ich immer ungenesen.
iht anders muoz mîn salbe wesen
ze mîner veigen ungeschiht:
wan zwâre dirre enger ich niht.'
Hie mite gienc der süeze man
5550 wider heim ze hûse dan

5522 ê daz si immer *J*] eh sie jåmmerlich (ê si immer *H*).
5523 ungedienet *Le*] vnuerdient.
5524 den *H*] *f.*
5526 sô *J nach Wa*] wann (swenn *H*).
5531 beswære: bewære *H*] beschwere: beschwere.
5533 gar ungetriuwelichen site: mite *H*] Gar unglůckliche siede (den vil unsæleclichen s. *Le*): niede.
5536 kûme *H*] kůne.
5545 ungenesen *H*] genesen.
5547 ungeschiht *H*] Vngesicht.

in sîner klagenôt als ê.
ze keiner arzenîe mê
kund er gehaben zuoversiht,
und hæte gar den troum für niht
5555 der ime was getroumet dort.
owê, daz siufzebernde wort,
und ach, der riuweclîche spruch,
diu nâmen dô vil manegen bruch
durch sîne freude enmitten.
5560 daz îsen in der smitten
sô sêre niht englüejet
als vaste er wart gemüejet
in der vil heizen senegluot,
dar inne bran sîn kiuscher muot
5565 alle zît und allen tac.
sîn bestez wünschen des er pflac
daz was niht wan daz eine
daz im got der vil reine
den grimmen tôt bescherte
5570 und ime die sêle ernerte
vor der helle grunde.
sus lebete er manege stunde
mit jâmer und mit leide
biz im die friunde beide

5553 gehaben *G*] haben.
5554 für niht *H*] vernicht.
5556 siufzebernde *J*] seufftzende (siufzende *H*, siufzebære *B*).
5557 ach *H*, *Wolff Fs. E. Kuhn 1916 S. 431 ff.*] auch (*JG nach B*). riuweclîche *H*] innigliche.
5559 sîne (*Wolff Fs. E. Kuhn 1916 S. 434 nach WGrimm;* sîner *H-G*). enmitten *Wolff a.a.O. nach WGrimm*] mitte (*H-G*).
5560 smitten *Wolff a.a.O. nach WGrimm*] Schmitte (*H-G*).
5561 englüejet *H*] entglůet.
5562 er *H*] *f.*
5563 senegluot *Wolff Fs. E. Kuhn 1916 S. 435*] Sonnenglut (senden gl. *G*, sunnen *oder* sühte gl. *H*, sûren gl. *J*).
5565 allen tac *H*] alle tag.
5566 des *H*] das.
5567 niht wan *H*] nicht mehr dann.
5572 sus *H*] sonst.

5575 ab giengen und die dienestman,
also daz man sîn dâ began
pflegen niht sô wol als ê
und man im bôt smâcheite mê
zallen mâlen danne vor.
5580 ê kâmen dicke für sîn tor
mâge, friunt, man unde wîp,
durch daz sîn ungesunder lîp
enpfienge hôhen trôst von in.
diz allez was nû gar dâ hin.
5585 er kam von hôher wirde alsô
daz niemen sîn engerte dô
zeimâl in dem jâre sehen.
im was sô rehte wê geschehen
von sîner veigen siecheit
5590 daz man in ungerne leit
und in sîn gesinde flôch.
vil sêre man im abe zôch
an spîse und an gemache
und pflac sîn gar ze swache
5595 mit aller hande dingen.
man sach im lützel bringen
dar ûf des werdes anger.
wan sô der mensch ie langer
siechet unde ie sêrer,

5576 da *G*] *f*.
5579 danne vor *H*] dann zuuor.
5580 ê kâmen – für *H*] ehe kam – vor.
5581 mâge, friunt, man unde wîp *J nach B*] Möge, Freundt, Mann und Weib (mâge, friunde, unde wîp *H*).
5584 nû gar *H*] *f*.
5585 hôher wirde *Le*] seiner hohen W. (sîner w. *seit H*).
5586 niemen sîn engerte *G*] sein n. begerte (in [sîn *J nach B*] niemen gerte *H*).
5587 zeimâl in dem jâre *H*] in dem jar zu eim mal.
5588 wê *H*] wol ([rehtiu] dol *Spr*).
5589 siecheit *H*] scheit.
5590 ungerne leit *J*] vng. Leut (vil gerne meit *H*).
5591 (in al sîn *G*).
5594 gar ze (alze *H*).
5595 aller hande *H*] allerhanden.
5599 sêrer *H*] sehre.

5600 sô sîn unwirde ie mêrer
unde ie grœzer danne wirt.
des wart ouch Dieterich verirt
an sîner werdekeite gar.
niemen wolte sîn dô war
5605 mit guoter handelunge nemen.
dâ von er sich begunde schemen
sô vaste in sînem herzen
daz er des lîbes smerzen
niht enwac sô sêre
5610 als daz im solhe unêre
buten al die sîne.
er hæte gerner pîne
geliten danne unwerdekeit.
der kunden liute smâcheit
5615 tet im alsô rehte wê
daz er zuo dem werden ê
von dannen wolte kêren
ê daz er mit unêren
in sînem lande wære.
5620 der werde triuwebære
und der vil stæte Dieterich
alsô gedâhte wider sich.
'Ich armer unde ich tumber,
war umbe lîde ich kumber
5625 in mîn selbes lande,
daz ich von dirre schande
niht hindan entwîche

5600 unwirde ie mêrer *G*] vnwehrde mehre (unw. mêrer *H*).
5601 unde ie *G*] vnd. grœzer *H*] langer.
5606 er sich begunde *H*] begundte er sich.
5609 niht enwac sô sêre *H*] n. entwag so rechte sere.
5611 sîne *H*] seinen.
5612 gerner pîne *H*] gerne die peine.
5614 der kunden liute smâheit (*dafür richtiger, ebenso wie* 5782 smâcheit) *H*] d. bekannten L. schm.
5616 zuo dem *J nach B* (zuo den *H*). werden (*Dr., Le,* fremden *seit H*).
5620 werde *H*] wehrden.
5625 mîn selbes *H*] meinem selbest.

und zu dem friunde strîche
der rehte erkennet wer ich bin?
5630 hie mite viel im in den sin
vil sêre und ouch vil starke
daz er ze Tenemarke
zEngelharte wolte varn:
der künde sîniu dinc bewarn
5635 nâch êren und nâch minne wol.
er dâhte 'ob ich nû vinden sol
immer triuwe an keime man,
so enhabe ich dâ niht zwîvel an,
mîn geselle enthalte mich
5640 schôn unde lâze erbarmen sich
daz mir gelückes bilde
sô gar ist worden wilde
und ungelücke niuwe.
sîn lîp ist sô getriuwe
5645 und alsô tugentveste
daz er mir tuot daz beste
gern unde willeclichen dâ.
mir wirt gebiuwen etewâ
vor sîner bürge ein hiuselîn.
5650 dâ læzet er mich inne sîn
die wîle daz ich mac geleben
und heizet mir dar inne geben
spîse und allez des ich darf.
sît daz sîn herze nie gewarf

5628 friunde (*Dr.*, *Le*, fremden *seit H*).
5629 rehte *Le*] nicht.
5631 ouch *J nach Roth z. Schwanr. 1304*] *f*.
5634 sîniu *H*] sein.
5635 und nâch minne *J*] vnd Liebe (unde minne *H*).
5636 nû vinden sol *H*] nun sol (*Müller str.* nû).
5637 (iender *Le*). keime *H*] keinen.
5638 enhabe *H*] enthab.
5639 enhalte *H*] enthalte.
5643 und ungelücke *H*] vnd alles vngl.
5648 gebiuwen *H*] gebauwet.
5650 læzet – inne *H*] leßt – darinne.
5653 des ich darf *H*] das ich bedarff.
5654 sît *J* (sint *H*).

5655 ûz vil hôher stæte sich,
sô gedenket er daz ich
mit triuwen sîn geselle was
und zeime friunde in ûz erlas
mit herzen und mit muote.
5660 vor lîbe und vor dem guote
hân ich in geminnet ie.
geselleschaft bôt ich im hie
vil gar biz ûf der triuwen ort.
des lât er mich geniezen dort
5665 und ergetzet mich des wol
daz ich hie smæhen kumber dol.'
Sus wart in sînem muote
ze râte der vil guote
daz er von sînem lande schiet
5670 und er ein schiffelîn beriet
rîlichen unde schône gnuoc
daz in ze Tenemarke truoc
vil snelleclîchen ûf dem sê.
waz touc hie langer rede mê
5675 und üppeclîchiu teidinc?
dô der vil süeze jungelinc
ze der vil schœnen veste kam
dâ sîn geselle tugentsam,

5656 gedenket *H*] dencket. (*G schiebt* vil wol *nach* er *ein*).
5658 zeime (ze *Le*) friunde in ûz erlas *H*] jn zu eim Freund außerlaß.
5660 vor lîbe und vor dem guote *J nach B*] vor dem Leibe vnd dem G. (vor l. u. vor guote *H*).
5661 ich in geminnet *H*] ich geliebet.
5667 sus wart in sînem *H*] so ward ich s.
5669 schiet: beriet *H*] scheid: bereit.
5670 er (*Dr.*, *J*, *str. H*).
5671 rîlichen *G*] bleich (rîlîch *H*). und schône gnuoc *J*] vnd schône gn. (unde schône genuoc *H*).
5673 vil *Le*] Gar. snelleclichen ûf dem sê *Schr*] schnelliglich auff der wilden s. (snellîch ûf dem wilden sê *H*).
5675 üppeclîchiu teidinc *H*] üppeliche Thâting.

der künic, dâ mit hûse was,
5680 dô sande er ûf den palas
den boten sîn gereite
der Engelharte seite
diu mære unmâzen klegelich
daz sîn geselle Dieterich
5685 ûf gnâde in heime suochte,
daz er in dâ geruochte
sprechen unde schouwen:
in habe alsô verhouwen
sîn veigez ungelücke breit
5690 daz er von grôzer siecheit
niht ze hove müge komen.
nû daz Engelhart vernomen
hæte disiu mære,
dô wart der sældenbære
5695 von herzen trûric unde frô.
leidic wart der süeze dô
durch Dieteriches ungemach,
und freute sich daz im geschach
diu sælde daz er komen was.
5700 er gienc von sînem palas
zuo dem schiffelîne dan
dar inne lac der süeze man
und der trûtgeselle sîn.
nû daz im wart sîn jâmer schîn
5705 und er in sô entschepfet vant,
vor leide reiz er sîn gewant
und sîn küneclichez kleit,
diu wurden schiere, sô man seit,
gerizzen nider ûf den fuoz.
5710 er sprach ‘geselle, daz ich muoz

5679 dâ (ûf *H nach L*).
5681 den boten sîn gereite *H*] dem B.s. gereide.
5689 ungelücke *H*] vnglůckes.
5699 diu sælde *H*] das glůcke.
5703 der trûtgeselle *H*] der viel traut G.
5704 nû daz im wart *H*] nun ward jm. 5706 reiz (zarte *Le*).
5708 sô *H*] als.

dich sehen in sô grimmer nôt,
daz ruoche got durch sînen tôt
erbarmen unde riuwen.
owê daz hôhen triuwen
5715 ie widerwac sô grôzer schade
und daz sô rîcher tugent lade
an dir mit jâmer ist erfult!
wie mohte got sô kleine schult
sô tiure an dir gerechen?
5720 muoz ich die wârheit sprechen,
sô weiz ich alsô rehte wol
als daz ich ersterben sol
daz dîn leben reine
was vor allem meine
5725 gefrîet und gesundert.
dâ von mich sêre wundert
waz got an dir gerochen habe.
ach friunt, wie bistû komen abe
der vil liehten varwe dîn?
5730 dû bist der schœnheit ie gesîn
ein spiegel unde ein bluome.
nû lît von siechtuome
al dîn hôhiu kraft dar nider.
owê daz dîniu starken lider
5735 ie solten sô gedîhen!
got müeze mir verzîhen
aller hôhen sælekeit,
ob ich dîn grimmez herzeleit
niht gerne wolte für dich doln.'
5740 alsô der künic begunde holn

5712 ruoche *J nach B*] bedenck (müeze *H*).
5715 widerwac *H*] wider was.
5715 grôzer (michel *Schr*).
5716 sô *H*] sie.
5719 tiure *H*] dieser.
5722 daz *H*] *f.* (ich noch e. *G*).
5724 vor *G*] *f.* (von *H*). allem *H*] alleine.
5725 und *J* (unde *H*).
5734 starken lider *H*] starcke Glieder.
5739 wolte für *H*] vor.
5740 der künec begunde *J nach B*] begund d. K. (began der k. *H*).

von herzen manegen siufzen tief.
mit armen er in umbeswief
und gôz vil manegen heizen trahen,
dâ mit er dô begunde twahen
5745 diu rôten wangen beide.
mit jâmer und mit leide
sprach aber der getriuwe dô
'friunt, ich bin dîner künfte frô
und dînes schaden ungemeit.
5750 sît aber ich die sælekeit
an mich von gote hân genomen
daz dû mir bist ze hûse komen,
sô man ich unde bite dich,
vil trût geselle Dieterich,
5755 daz dû dich bî mir lâzest nider
und niht ze lande kêrest wider
biz ûf dînes endes tac.
ich tuon ze liebe swaz ich mac
gern unde willeclichen dir.
5760 enzwîvel nimmer des an mir,
ich enfüege dîn gemach.'
der sieche wider in dô sprach
'got lône dir, geselle mîn,
ich wil des âne zwîvel sîn
5765 daz dû mich niht lâst under wegen.
ouch ist nû gar an dir gelegen
mîn heil und mîn gelücke alhie:
wan dîner helfe enwart mir nie
sô rehte nôt sô allezan.
5770 wîp, friunde, mâge, dienestman
verzaget sint nû gegen mir.

5742 in *H*] *f*.
5744 dô *G*] *f*.
5748 künfte *H*] Zukunfft.
5750 sît aber ich die sælekeit *H*] seit ich aber die sicherheit.
5754 vil trût geselle *J*] viel traut G. (trûtgeselle *H*).
5760 des *H*] das.
5761 enfüege. *H*] enfûge. dîn *J nach B*] dein (dir *H*).
5765 niht *H*] *f*.
5769 *das zweite* sô *G*] *f*. (sît *H nach L*). allezan *H*] alles an.

dâ von ich triuwe suoche an dir,
der ich doch nie wart ungewis.
mîn jâmer in dîn herze lis
5775 und lâz erbarmen mich dîn leit.
günne mir durch sicherheit
hie biuwen doch ein hiuselîn
vor dîner bürge und lâz mich sîn
dar inne biz an mînen tôt.
5780 teile mit mir hie dîn brôt
biz über mich gebiete got.
ê daz ich smâcheit unde spot
dulde von den mînen,
ê wil ich bî dir swînen
5785 die wîle daz ich nû gelebe.
ez dunket mich ein hôhiu gebe,
ob dû die sælde an mir begâst
daz dû mich hie belîben lâst.'
Sus sprach der künic aber dô.
5790 'ach herre friunt, wie redestû sô?
lîp unde guot und swaz ich hân
daz sol dir werden undertân
als eigenlichen alse mir.
ein hûs ich heize biuwen dir
5795 dar inne man dîn schône pfliget.
mit triuwen dir mîn helfe wiget
biz ûf ein ort al dîne tage.'
sus hiez er in mit hôher klage

5774 in dîn herze *H*] im Hertzen.
5776 durch sicherheit *Schr*] doch ein sicherheit (durch siecheit *H–G*).
5777 hie biuwen doch *J nach B*] hie bauwen d. (ze biuwen hie *H*).
5784 swînen *J*] scheinen (schînen *H*).
5787 die sælde *H*] das glůlk.
5789 sus – aber dô *H*] so – do.
5790 ach herre friunt, *J* (ach herre, friunt, *H*).
5791 und *H*] *f*.
5793 eigenlichen alse *H*] eigentlich als.
5794 heize *H*] heissen.
5795 schône *H*] *f*.
5798 sus hiez er in mit *H*] so h. er mit.

füeren ûz dem schiffelîn.
5800 vor der vil schœnen veste sîn
der sieche sich dô nider liez.
ein hûs man ime biuwen hiez
vil gar nâch sînem muote.
dar inne wart der guote
5805 berâten mit gemache wol.
swaz rîcher handelunge sol
eim ungesunden man geschehen,
diu wart schiere dâ gesehen
an Dieterîche zaller zît.
5810 ezn wart enweder ê noch sît
erboten keinem siechen baz,
wan sîn der künic nie vergaz
in herzen unde in muote.
mit aller hande guote
5815 hiez er sîn nâch wunsche pflegen.
ouch hæte der getriuwe degen
den site und die gewonheit
daz er in nimmer dâ vermeit
durch sînen grôzen siechtagen.
5820 er kunde in weinen unde klagen
mit lûterlicher andâht.
er hæte sich des wol bedâht
daz er sîn küneclichez leben
wolte für in hân gegeben
5825 durch daz er möhte sîn genesen.
man sach in dâ vil dicke wesen
in sînem hiuselîne.
durch sîne swæren pîne
flôch er niht den armen.

5801 sich dô nider liez *H*] sich da sich niederliesse.
5808 schiere *B*] sicher (*H*, benamen *J*).
5810 ezn wart enweder *G*] es entward weder (ezn w. weder *H*).
5812 nie *H*] *fehlt.*
5815 (nâch dem w. *G*).
5816 der *H*] er.
5818 in nimmer dâ] jmmer da (in nimmer tac *H*).
5826 dâ vil *G*] *f.* (bî im *J nach B*, harte *H*).
5829 niht den *J*; *vorher schon Müller*] mit den (zuo dem *H*).

5830 er kunde wol erbarmen
über sînen kumber sich.
er sach in aller tegelich
und hiez in baden unde twahen.
er gôz vil manegen heizen trahen
5835 durch sîn vil strengez ungemach.
sîn dinc er allez wol besach
und bôt im ganzer triuwen hort.
vil senfte wâren sîniu wort
und sîn gebærde wider in.
5840 nû kam er eines mâles hin
für den siechen jungelinc.
er gap im süeze teidinc
und machte im dise rede schîn.
er sprach 'sag an, geselle mîn,
5845 wie mohte sich gefüegen daz,
sô vil dîn junger lîp besaz
rîchtuomes unde werdekeit,
daz dû ze dirre siecheit
kein arzenîe ensuochtest
5850 und dû des niht geruochtest
daz iemen hæte dich ernert?
dû soltest dich von êrst gewert
hân dirre sühte swære.
geloube mir der mære,
5855 swer niht den niuwen siechtagen
zem êrsten dan beginnet jagen
und in dâ lât eralten.
der muoz sîn immer walten.

5832 aller *H*] aber.
5835 vil *G*] gar.
5839 sîn *J* (sîne *H*).
5842 im süeze teidinc *H*] jn sůsse geding.
5845 mohte sich *H*] môchte ich.
5849 arzenîe (arzât ie *Schr*). ensuochtest: geruochtest *H*] entsuchtest: geruchest.
5852 dû soltest dich von êrst (êrste *H*) gewert *HJ*] du solst d. v. erst han g.
5853 hân dirre sühte swære *H*] vor dieser Seuchen schw.
5856 zem êrsten dan *H*] zu dem ersten.
5857 eralten *Le*] veralten.

als ist vil lîhte dir geschehen:
5860 dû möhtest hân dar zuo gesehen
dô dich bestuont diu angest
diu leider aller langest
muoz an dînem lîbe wern.
wer solte wîsen rât verbern
5865 ze sô getâner ungeschiht
die man vil gar betrüeben siht
an herzen unde an lîbe dich?'
'geselle' sprach dô Dieterich,
'hæt arzenîe iht für getragen
5870 mich ze mînem siechtagen,
sô wære ich nû vor maneger stunt
frœlich unde wol gesunt,
wan ez dar an niht ist beliben,
ich enhabe ir gnuoc getriben
5875 und alsô vil versuochet,
hæt iht got mîn geruochet,
ich möhte sîn dâ von genesen.
swaz ie von künsten wart gelesen
die nütze sint ze dirre suht,
5880 des ist ein wunder mit genuht
an mich geleit, getriuwer man.
kein arzenîe leider kan
enbinden mich von dirre nôt,
wan eht der bitterliche tôt,
5885 der mac erlœsen mich dâ von.
ich muoz ir immer sîn gewon
die wîle daz ich leben sol.
wan allez daz mich hülfe wol

5859 als *H*] also.
5861 dô dich bestuont *H*] da ich bestunde.
5864 verbern *H*] embern.
5865 sô (sus *Le*).
5866 vil *G*] *f*. (sô *H*).
5869 iht *H*] was.
5874 enhabe *H*] enthab.
5875 vil *H*] recht vil.
5876 hæt iht got mîn geruochet *J nach B*] hette mein Gott jcht gerucht (hæte es got ger. *H*).
5879 suht: genuht *H*] Seucht: gereucht.
5884 eht *G*] *f*.
5886 ir *H*] je.

und dâ von ich noch würde ernert,
5890 weizgot daz ist mir unbeschert
und sol mir ûf der erden
fremd unde tiure werden.'
An disen worten Engelhart
schier und zehant des inne wart
5895 daz etewaz doch wære
daz im ze sîner swære
wol und ebene töhte,
der ez gewinnen möhte.
Dar umbe sprach er, sô man giht,
5900 'ach trûtgeselle, ist aber niht
daz dich von leide enbünde,
ob man ez iender fünde
und ez gewinnen möhte dir?
sprich an, friunt, unde sage mir
5905 ob iemen iht gehaben müge
daz dir ze dîner sühte tüge,
und lâz mich daz erwerben.
sol ich dar umbe ersterben,
daz tuon ich lieber danne ich lebe.
5910 der tôt ist mir ein süeziu gebe,
ob ich den für dich lîden muoz.'
'nein' sprach er, 'mîner sorgen buoz
wirt nimmer mir, geselle mîn.
wan daz mir nütze solte sîn
5915 und mir ze helfe töhte,
dazu künde ich noch enmöhte
mit keinen dingen erwerben.

5889 noch *G*] *f.*
5890 unbeschert *H*] vnbeschwert.
5894 zehant des inne wart *H*] zu hand jm w.
5896 sîner *H*] seinem.
5899 sô man giht *H*] so jcht.
5901 enbünde *H*] entbinde.
5903 ez *H*] deß.
5904 friunt *J*] *f.*
5906 sühte *H*] Seuche.
5912 nein *H*] mein.
5914 mir *H*] nur.
5916 dazn künde ich noch enmöhte *H*] das entkundte i. n. mochte.
5917 m. keinen dingen erw. (*Dr.*, *H*, *Helm Beitr. 47, 156*, m. keinen dingen werben *J nach B*, m. keinem dinge erw. *G*).

ouch wolte ich lieber sterben
ê daz ich ez gewünne doch.
5920 geschæhe an mir daz wunder noch
daz man sîn nœten wolte mich,
so stürbe doch vil gerner ich
dan ich dâ von genæse.
der ie ze herzen læse
5925 vil hôhen und vil wîsen rât
und alliu dinc gebildet hât,
der lâze nimmer mich geleben
daz mir daz iemen welle geben
des ich bedarf ze mîner klage.'
5930 'neinâ, süezer friunt, nû sage'
sprach aber Engelhart zehant,
'wie dise sache sint genant
die noch gehelfen möhten dir.
entsliuz dis arzenîe mir
5935 an der nû lît dîn zuoversiht.'
'geselle, des entuon ich niht'
sprach Dieterich dô wider in.
'ê müeze ich leben unde sin
verliesen ê daz dinc geschehe
5940 daz ich der sache dir verjehe
diu mich noch möhte für getragen.'
'dû muost mir endelichen sagen
waz dir ze helfe töhte
und dich erlœsen möhte
5945 von dînem kumber engestlich.'
'geselle, des erlâz dû mich
durch dîne küneclichen art.'
'nein' sprach aber Engelhart,

5919 gewünne *H*] gewinne.
5921 nœten *H*] nôtigen.
5922 gerner *H*] gerne.
5929 des *H*] daß.
5930 neinâ *H*] nein, o.
5933 noch *G*] *f*.
5940 der sache *J*] das glůck (der sælde *H*, der salben *L*, der linge *B*, der lüppe *Spr*).
5943 ze *H*] zu deiner.
5945 engestlich *H*] ångstig-lich.

'entriuwen, daz enmac niht wesen.
5950 gedenke, friunt vil ûz erlesen,
daz ich dir keiner bete nie
verzêch, und êre mich alhie.
wan zwâre, sô dû daz niht tuost,
sô soltû wizzen daz dû muost
5955 von mir gescheiden immer sîn,
und ich von dir, geselle mîn.'
Mit disen worten unde alsô
der vil getriuwe sieche dô
wart überstriten kûme
5960 daz er mit langer sûme
sprach vil heize weinende
'dû wære mich ie meinende
mit triuwen, herzelieber man.
dâ von entar ich noch enkan
5965 verzîhen keiner bete dir.
swie vaste ez und swie nâhe mir
ze herzen gât, sô wil ich doch
dir sagen waz mich hülfe noch
ze mîner engestlichen nôt.
5970 ich lîde sanfter vil den tôt
dan ich die sache dir enbar
dar an ich wæne daz nû gar
mîn zuoversiht hang unde klebe.
doch wil ich al die wîle ich lebe,
5975 mit swelher nôt ich daz getuo,

5949 entriuwen *H, Schr*] bey glauben (benamen *J nach B*). enmac *H*] mag.
5953 sô *H*] wo.
5961 heize weinende *H*] hertze weinte.
5962 dû wære mich ie meinende *H*] o wer mich je meinte.
5964 entar *H*] gethar.
5966 swie vaste ez und swie nâhe *J nach B*] sw. v. und sw. n. es (swie v. u. sw. n. ez *H*, sw. v. und ouch sw. n. ez *Roth z. Schwanr. 1324*),
5969 engestlichen *H*] ângstiglichen.
5970 lîde *Schr*] leide (lite *H*). sanfter vil *H*] vil s.
5971 sache (salben *Spr*). enbar *H*] offenbar.
5972 wæne *H*] meine.

den willen dîn spât unde fruo
geleisten sô ich beste mac.
ez kam alsô, daz ich gelac
an einem liehten sumertage
5980 unz ich entslief nâch mîner klage
under einem boume,
dô kam mir in dem troume
bescheidenlîche ein engel für
der nâch wîser liute kür
5985 niht wünneclicher möhte sîn.
er tet mir kunt und machte schîn
von gote disiu mære,
daz ich genislich wære
von dîner kinde bluote,
5990 diu got in sîner huote
müez immer hân vor solhem schaden.
er seite mir, künd ich gebaden
dar inne zeinem mâle,
sô würde ich sunder twâle
5995 gereinet unde wol gesunt,
sô daz mich lieze bî der stunt
der veigen miselsühte schimel.
mîn klage diu wær in den himel
für gotes angesihte komen.
6000 dâ von sô wolte mir noch fromen
sîn helfe und diu genâde sîn,
dû gæbest dîniu kindelîn
willeclichen in den tôt
durch daz ich von ir bluote rôt

5977 geleisten *G*] leisten. sô ich beste mac *H*] auffs beste ich m.
5978 alsô, daz ich *J nach B*] also ich (alsô ich *H*).
5980 unz *H*] vnd.
5981 boume *H*] schônen B.
5985 möhte *H*] mocht.
5986 kunt *H*] *f*. (*B*).
5991 solhem *G*] solchen.
5992 gebaden *H*] gehaben.
5993 dar inne zeinem *H*] da zu einem.
5994 twâle *H*] quale.
5995 gereinet *H*] gereiniget.
5998 den *H*] dem.
5999 angesihte *H*] Angesicht.
6002 gæbest *H*] gibest.

6005 genæse an mîme fleische fûl.
sît dû der stæte ein marmelsûl
wærest unde ein quâderflins,
sô müeste dîner tugent zins
und dîns getriuwen lîbes fruht
6010 die wunden mîner miselsuht
verheilen und verstræten.
diz hôrte ich von dem stæten
engel in dem twalme.
von sîner stimme galme
6015 wart ich erwecket unde erschrac.
diu rede mir ze herzen wac
und dûhte mich ein teil ze twerch,
daz dû dîner kinde verch
willeclichen soltest geben
6020 durch daz mîn ungesundez leben
gereinet würde und ouch ernert.
daz reht und diu natûre wert
daz iemen sîniu kindelîn
sterbe durch den willen mîn.
6025 Dâ von, geselle, dûhte mich
diu rede gar unmügelich
die mit mir treip der engel.
niht eines bluomen stengel,
der bî mir stuont vil manic soum,
6030 wolte ich ahten ûf den troum
der mir als offenlîche erschein.
ich gienc ze hûse wider hein
mit jâmer und mit sorgen.
diz dinc ich sô verborgen
6035 und alsô tougenlichen truoc

6005 an mîme fleische fûl *H*] on jrm Fl. feul.
6008 müeste *H*] mûstu.
6012 dem stæten *H*] den steten.
6020 durch *H*] drumb.
6021 gereinet *H*] gereiniget
6024 sterbe *H*] sterben.
6026 unmügelich *H*] wunniglich.
6028 eines *Le*] einer.
6035 tougenlichen *Schr*] heimelichen.

daz ich es keime man gewuoc
zewâre noch gewehenen wil.
und hætestû mich niht sô vil
gebeten daz ich seite dirz,
6040 ich wære tôt, geloube mirz,
ê dir entslozzen wære
von mir daz selbe mære.
Sît ez dir aber sî geseit,
sô tuoz durch dîne sælekeit
6045 und gedenke niht daz ich
dar umbe hân gesuochet dich
daz dû den troum bewærest mir.
ê daz ich keiner slahte gir
trüege ûf dîner kinde schaden,
6050 ê wolte ich in der helle baden
sunder ende und âne zil.
geswîgen ich der werke wil,
ich sol den willen gar verbern.
ob dû mich gerne woltest wern
6055 ir schuldelôsen bluotes,
sô wære ich doch des muotes
daz ich ez wolte mîden.
ich lieze ê mich zersnîden,
ob mîn tûsent wæren,
6060 ê daz ich dir bewæren
sô grôze untriuwe solte
daz ich des muoten wolte
daz in geschæhe leides iht
durch die vil starken ungeschiht
6065 die got ûf mich gevellet hât.
wil er niht anders machen rât

6036 es keime *H*] gegen keim.
6037 zewâre noch *G*] n. z. (noch niemer mê *Schr*). gewehenen *H*] gedencken (gewehen *Schr*).
6042 daz selbe *H*] dieselbe.
6048 gir *H*] dir.
6051 und *H*] *f*.
6054 wern *H*] gewehrn.
6055 ir schuldelôsen *H*] Irs vnschuldelosen.
6058 ê mich *H*] mich eh.
6059 (mîn eht t. *G*).
6062 des muoten *H*] das meiden.

mîner swære danne alsô,
sô wirt mîn trûric herze frô
vil lützel und vil selden.
6070 war umbe solte engelden
ir jungez unde ir reinez leben
daz mir unsælde vil gegeben
und herzeclicher sorgen ist?
jâ solt ich mîner tage frist
6075 vertrîben sunder allen trôst,
got selbe entuo mich danne erlôst,
sô bin ich immer ungenesen.
ich muoz ûf ertrîche wesen
aller sælekeite frî.
6080 wan daz mir dîn genâde bî
sô volleclichen nû gestât
und mich alhie behûset hât,
sô wære ich gar verdamnet.
unheil ûf mich gesamnet
6085 vil gar unmæzeclichen ist.
ich müeste biuwen einen mist
dem armen Jôbe vil gelîch,
ob mich dîn hôhiu tugent rîch
enthielte niht sô schône.
6090 got selbe in sînem trône
welle, herre, danken dir
daz dû sô reine triuwe mir
hie machest offenlichen schîn.
dû solt an mir die sælde dîn

6069 lützel *J nach Roth z. Schwanr.* 15] kleine (*H*, vil kleine und ouch vil selten *B*).
6071 ir reinez *H*] reines.
6072 unsælde *H*] vnglůck.
6074 solt (sol *H*). mîner tage frist *H*] nimmer sorgenfrist.
6076 selbe entuo *G*] selber du (selbe tuo *H*).
6077 ungenesen *H*] genesen.
6081 gestât *H*] bestaht.
6085 unmæzeclichen *H*] vnd vnmessiglich.
6087 Jôbe *H*] Hiob.
6089 enthielte *J nach B* (enhielte *H*).
6090 selbe *H*] selber.
6094 sælde *H*] Seele.

6095 und dîn heil gemêren.
sît ich von allen êren
komen alsô vaste bin,
sô dunket michz ein hôch gewin
daz ich bî dir belîbe wol.
6100 dâ von dîn herze niht ensol
gedenken, trût geselle,
daz ich iht anders welle
muoten al die wîle ich lebe
wan daz mir dîn genâde gebe
6105 die spîse und daz gewendelîn
diu mir gemæze beide sîn.'
Hie mite was der rede genuoc.
den troum des Dieterich gewuoc
den leite der getriuwe
6110 künic dô mit riuwe
vil nâhe sînem herzen.
an des gesellen smerzen
gedâhte er alle stunde.
sîn leit wac im ze grunde
6115 sô vaste und alsô verre
daz der edele herre
sprach tougenlîche wider sich
'got herre vater, wie sol ich
gebâren und gewerben?
6120 lâz ich den hie verderben
der sîn leben in den tôt
für mich in einem kampfe bôt,
sô wirde ich triuwelôs benamen
und mac sich wol mîn herze schamen
6125 immer hie ûf erden.
sît daz er möhte werden

6095 heil gemêren *H*] heilige måren.
6098 dunket michz *G*] dunckt es mich (dunket mich *H*).
6103 muoten *H*] meiden.
6106 gemæze *H*] gemessen.
6108 des *H*] den.
6117 tougenlîche *Schr*] heimeliche.
6119 gewerben *J*] erwerben (werben *H*).
6122 für *H*] vor.
6123 wirde *H*] wůrd.

enbunden von der helfe mîn,
ob ich in danne lâze sîn
in alsô grimmer arebeit,
6130 sô wil ich mîne stætekeit
zerbrechen an gesellescliaft.
mîn herze ist immer jâmerhaft,
ob ich an im alsô verzage.
so ist aber daz ein grôziu klage,
6135 ob ich getœte disiu kint
diu von mînem lîbe sint
gewahsen unde erquicket.
mîn herze lît verstricket
in strenger sorgen bande.
6140 daz leit ist zweier hande
dar în ich nû gevallen bin.
doch sol ich einez under in
lîhte für daz ander wegen.
ê daz der vil getriuwe degen
6145 Dieterich leb in der nôt,
sô müezen mîniu kint den tôt
ê beidiu von mir kiesen.
daz si den lîp verliesen,
des sol ich gerne flîzic wesen.
6150 ir sêle ist immer dort genesen,
ob si daz leben hie verzernt,
mit ir bluote si genernt
sich selben vor der helle,
und wirt ouch mîn geselle
6155 gereinet von der miselsuht.
wird ich dar under mit genuht

6128 danne *H*] dannen.
6131 an *H nach L*] vnd.
6134 grôziu (michel *Schr*).
6135 getœte] tôte (tœte *H*).
6138 lît *H*] leit.
6143 für *H*] vor.
6145 leb in *H*] leben in.
6151 verzernt *H*] versehrn (verbernt *Le*).
6153 selben *J nach B*] selber (selbiu *H*).
6155 gereinet *H*] gereinigt.
6156 wird ich dar under mit genuht *H*] werden ich darunder mit gerucht.

ein riuwesære al mîne tage,
daz dunket mich ein senftiu klage
und ein harte lîhtiu nôt.
6160 jâ wil ich biz an mînen tôt
mit îsen zallen stunden
dar umbe sîn gebunden
daz diu kint ze himele komen
und ir bluot hie müeze fromen
6165 dem ûz erwelten friunde mîn.
sît daz im unser trehtîn
dis arzenîe machte kunt,
sô wil er daz ich in gesunt
mit ir lîbe mache noch.
6170 dâ von mac ich gebüezen doch
die sünde lîhte deste baz,
ob ich in triuwen sunder haz
erfülle gerne sîn gebot.
enwolte niht der werde got
6175 daz noch geschæhe ein wunder hie,
sîn heilic engel wære nie
ze Dieterîche komen dort.
ich sol den liehten himelhort
koufen mînen kinden
6180 und mit ir tôde enbinden
den besten friunt vil ûz erkorn
der ûf die erden ist geborn
und den kein muoter ie getruoc.
ich mac gewinnen noch genuoc
6185 lieber kinde ûf erden:
sô guoten noch sô werden
friunt gewinne ich nimmer:
ich muoz sîn darben immer,
verliuse ich Dieterichen.

6157 ein riuwesære al mîne tage *H*] ein ringer alle m. t.
6164 (u. daz ir *G*).
6169 mit ir lîbe *J nach B*] mit jrem Leibe (mit ir lîben *H*).
6174 enwolte niht *H*] vnd jn wolt n.
6178 den *H*] der.
6179 koufen *H*] lauffen.
6181 vil *H*] *f*.
6183 (*Müller str.* kein).

6190 zewâre und sicherlichen,
den kinden ich daz leben nim.
sît daz ich mac gehelfen im,
sô wil ich immer büezen
durch daz ich den vil süezen
6195 enbinde noch von sîner klage.
daz ich ze Tenemarke trage
den zepter und die krône,
daz hât er mir vil schône
mit der helfe sîn gegeben.
6200 er bôt für mich êr unde leben,
dô mir ez an der nœte stuont,
und tet als die getriuwen tuont.'
Sus kam der sælige Engelhart
durch sîner hôhen triuwen art
6205 willeclichen über ein
daz er sînen kinden zwein
daz leben wolte enpflœhen
durch daz er möhte erhœhen
Dieteriches herze
6210 dar în sô grimmer smerze
was versigelt und geleit.
got, der die rehten wârheit
kan triuten unde meinen,
der wolte an im erscheinen
6215 sîn hôhez wunder aller meist.
in hæte enzündet gotes geist
und der wâren minne gluot,
daz er sîner kinde bluot
verschüten gerne wolte
6220 dar umbe daz er solte
erlœsen den gesellen sîn.
hæte im unser trehtîn

6190 sicherlichen *H*] jåmmerlichen.
6203 sus *H*] so.
6206 sînen kinden *H*] seiner Kinder.
6207 enpflœhen *H*] empfohen.
6212 got, der die rechten *H*] Gott die rechte.
6213 triuten *H*] trauwen.
6217 minne *H*] Lieben.

des willen niht verhenget,
sô wære doch gelenget
6225 diu vil wunderlîche geschiht.
von natûre enmöhte niht
sô grôz unbilde sîn geschehen.
die zît er dô begunde spehen
und dirre stunde warten
6230 dar inne er diu vil zarten
und diu schœnen kindelîn
möhte nâch dem willen sîn
getœten unde sterben.
er wolte si verderben
6235 tougenlîche ân allen schimpf
dar umbe daz sîn ungelimpf
niht würde vor den liuten starc.
diz dinc er vor den liuten barc,
und niht vor dem getriuwen gote:
6240 der twanc in dô mit sîme gebote
daz er diz wunder ane vienc.
nû daz er vârende allez gienc
der kinde, dô kam ez alsô
daz diu küneginne dô
6245 gegangen zeiner messe was
und eine stuont der palas
dar inne noch dô beide
diu kint ân underscheide
sliefen an ir bettestat.
6250 der künic über si dô trat
vil heimlîch unde tougen.
ûz sinen klâren ougen

6226 natûre *H*] Naturen.
6229 dirre *G*] der.
6235 tougenlîche *Schr*] heimeliche.
6237 vor den liuten (vor der werlde *Müller*, michel unde *G*).
6240 der twanc in dô *G*] der zwang jn (der in twanc *H*).
6242 vârende *H*] erfahrend.
6243 der kinde, dô kam ez *H*] der Kinderbett, da kam er.
6246 eine *H*] alleine.
6248 ân *H*] *f*.
6250 künic *H*] Kûn.

liez er vil manegen heizen trahen
durch daz er si ze tôde slahen
6255 wolte bî den stunden.
vil sanfter überwunden
hæte er zwêne starke risen
dan er gesigen möhte an disen
kleinen kindelînen.
6260 er liez dô wol erschînen
daz er in kûme nam den lîp.
er stuont ob in reht als ein wîp
in zagelicher vorhte.
wan daz got selbe worhte
6265 an im sîn grôz unbilde,
sô wære im worden wilde
diu kraft daz er si bî den tagen
hete getœtet unde erslagen.
Uns tuot diz wâre mære kunt
6270 daz im geswünde drîstunt
ê daz er tæte disiu dinc.
der süeze werde jungelinc
und der getriuwe künic hêr
nam von in maneger hande kêr
6275 und aber danne wider zin.
vil dicke viel im in den sin
daz er si wolte lâzen leben.
dar nâch zehant wart im gegeben
von gotes willen der gedanc
6280 daz er si wolte ân allen wanc
erslahen unde ertœten.
sîn herze ranc mit nœten

6256 sanfter *H*] sanfte.
6258 möhte *J nach B*] môcht (mohte *H*).
6261 er *H*] *f*.
6263 zagelicher *H*] zagentlicher.
6264 selbe *H*] selber.
6265 im *H*] jn.
6266 im *H*] jn.
6268 (geslagen *Le*).
6269 diz *H*] diese.
6270 geswünde drîstunt *H*] geschwinde důrstund.
6271 *im Dr. nach* 6272.
6273 hêr: hande kêr *H*] Herr: handeber.
6278 gegeben *H*] geben.
6281 ertœten *Schr*] tődten.

lange zwîvellîche alsus,
biz er ze leste manegen kus
6285 gap den kinden beiden
und er ûz sîner scheiden
daz swert mit nazzen ougen schiet.
diu houbet er in abe schriet
und nam zwei schœniu beckelîn:
6290 ir bluot enpfienc er allez drîn
und îlte dan mit leide sider.
diu kint het er gedecket wider
mit einem dünnen kulter.
sîn herze ân allez fulter
6295 lac in der Triuwen klûse.
ze Dieteriches hûse
truoc er daz bluot verholne
und alsô gar verstolne
daz niemen sîn enwart gewar.
6300 dâ von der sieche man sô gar
an herzen unde an lîbe erschrac
daz er geviel und ouch gelac
in unmaht nider und für tôt.
er kam mit engestlicher nôt
6305 ze kreften wider unde sprach
'wâfen hiute und immer ach
daz ich zer werlt ie wart geborn!
waz gâst dû, friunt vil ûz erkorn,
wunders ûf der erden an?
6310 wes bin ich sældenlôser man

6287 schiet *H*] scheit.
6288 diu houbet er in abe schriet *H*] die Håupter er jn abeschneit.
6291 dan *H*] dannen.
6293 kulter: fulter *H*] Kolter: folter.
6295 Triuwen klûse *H*] treuwen Clausen.
6297 verholne *H*] vorholn.
6299 niemen sîn enwart *B* [niemand sein ward (sîn niemen wart *H*).
6300 sô *H*] da.
6301 an herzen unde an lîbe *H*] im H. vnd L.
6302 geviel *G*] viel.
6303 unmaht *Le*] onmacht (âmaht *H*). für *H*] vor.
6309 wunders *H*] Wunder.

gezigen um dîn eigen bluot?
owê daz mir der helle gluot
niht rasten sol für die getât
die nû dîn lîp begangen hât
6315 an den vil schœnen kinden!
ich wolte daz mich slinden
müeste daz abgründe
durch daz man si niht fünde
lebens unde lîbes bar.
6320 wan daz ich armer niht getar
zürnen vaste, sam mir got,
ich schülte sîn vil hôch gebot,
daz er sô vrevellicher tât
hiute an dir verhenget hât
6325 daz dû dîner kinde leben
in den tôt für mich gegeben
hâst ûf zwîvel aller meist,
wan dû des rehte niht enweist
ob mich dis arzenîe mac
6330 gehelfen immer einen tac.
'geselle mîn, daz stât an gote'
sprach Engelhart, der Triuwen bote.
'ob si dich hilfet oder niht.
ich hân vil starke zuoversiht
6335 daz si gesunden mache dich.
swie dû, getriuwer Dieterich,
mit dirre salben wirst ernert,
sich herre, sô hân ich verzert

6311 um *H*] vnd.
6313 für *H*] vor.
6316 slinden *H*] finden.
6317 si *H*] die.
6321 sam mir got *H*] so helff m. G.
6322 schülte *H*] schulde.
6323 vrevellicher *H*] frô-licher.
6326 für *H*] vor.
6330 einen *H*] einer.
6331 stât *G*] stêt *H*.
6335 si gesunden *H*] gesund.
6336 swie dû, getriuwer *J nach L*] wie tugentreicher (swie, tugentrîcher *H*).
6337 mit (dû *H*) dirre salben wirst *J*] in dieser S. wûrdst.
6338 sich herre *J nach B*] sicher.

nâch sælden mîner kinde bluot.'
6340 sus hiez in dô der künic guot
sitzen blôz in eine büten.
daz bluot begunde er ûf in schüten
mit flîze enallenthalben.
von der vil tiuren salben
6345 wart sîn lîp rein unde frisch,
als von den schuopen noch ein visch
vil schône wirt gescheiden.
sus wart er ûz den leiden
und von dem armen siechtagen
6350 erlœset unde alsô getwagen
daz er dâ vor in keiner stunt
enwart sô rehte wol gesunt
noch alsô flætic an der hût.
dâ von wart sîn geselle trût
6355 beide trûric unde frô.
sîn leit daz wart gemischet dô
mit freuden in dem herzen.
durch sîner kinde smerzen
truoc er ungemüete grôz,
6360 und wart dar umbe sorgen blôz
daz Dieterich alsô genas.
er gienc ûf sînen palas
mit liebe und ouch mit leide wider
und frâgte nâch den kinden sider
6365 als ob er niht enweste noch
daz si beide wæren doch
von sîner hant gelegen tôt.
er hiez si bringen und gebôt

6340 sus *H*] so.
6341 eine büten: schüten *H*] ein bade: schade.
6343 enallenthalben *J nach B*] allenthalben.
6344 tiuren *H*] dieser.
6347 wird *H*] wurd.
6348 sus *H*] so.
6349 dem *H*] den.
6352 enwart *G*] wart.
6353 flætic *H*] reutig (reinic *Müller*).
6361 genas *H*] genoß.
6363 mit leide *H*] leide.
6365 enweste *H*] wûßte.
6366 doch *H*] noch.
6368 und *J* (unde *H*).

daz man si trüege sâ für in.
6370 sus gienc ir amme snelle hin
und wolte si gewecket hân,
wande ez was ir aller wân
daz si dannoch dâ lægen
und slâfes beide pflægen.
6375 Nû prüevet grôzez wunder
daz aber dô besunder
erzeigete unser herre got.
den kinden wart dô sîn gebot
gesuntheit wider gebende.
6380 si vant ir amme lebende
sitzend ûf dem bette guot.
frœlichen unde wol gemuot
spilten si dâ gegen ir
und wâren, daz geloubent mir,
6385 von dem tôde erquicket.
als umbe ir keln gestricket
wære ein sîdenvaden klein,
reht in der selben mâze schein
der slac der in geschehen was.
6390 si wurden in den palas
für den werden künic brâht,
der um si in leide was verdâht
und innecliche swære pflac.
er wart erfröuwet unde erschrac
6395 dô man si für in brâhte,

6369 si trüege sâ für in *J*] sie trůge vor jn (trüege si für in *H*).
6370 sus *H*] so. (*st.* snelle *erwägt Schr* drâte).
6374 slâfes beide pflægen (: lægen) *H*] schlaffens sie beyde pflagen (: lagen).
6375 grôzez (michel *Schr*).
6380 si *H*] so.
6381 sitzende ûf dem *G*] sitzende auff dem (sitzen ûf dem *H*).
6382 frœlichen *G*] frôlich (frœlich *H*).
6386 keln *H*] Kindlein.
6388 mâze *H*] massen.
6390 in *H* (ûf *J nach Schr, billigt Anm. auch* in).
6392 der um si in leide *J*] darumb sein leide (der um sîn leit dô *H*).
6395 für *H*] vor.

wan er zehant gedâhte
'Krist herre, tugentrîcher got,
waz wunders dîn vil hôch gebot
kan vrühten ûf der erden!
6400 wie mac doch immer werden
kein dinc sô rehte wunderhaft
sô daz dîn götelîchiu kraft
an mir hât erzeiget!
dîn tugent sich geneiget
6405 hât sô verre engegen mir
daz ich gedanken möhte dir
mit tûsent zungen nimmer,
herr, unde lobte ich immer
mit herzen und mit munde dich.
6410 daz hât dîn güete wider mich
schôn unde wol beschuldet.
mit sælden übergüldet
ist al mîn ungemüete grôz'.
hie mite nam er ûf die schôz
6415 diu kint vil schiere bî der stunt.
ir wangen, ougen unde ir munt
kust er wol tûsent warbe dô.
sîn herze wart von grunde frô:
daz er vil wol erscheinde,
6420 wan er vor liebe weinde
vil sêre und inneclîche.
er machte Dieterîche

6399 vrühten *J*] feuchten (vüegen *H*).
6400 doch *H*] noch.
6403 (mir nû h. *Le*).
6405 engegen *Le*] gegen.
6407 nimmer, *J* (nimmer. *H*).
6409 mit munde *H*] munde. dich. *J* (dich, *H*).
6411 unde wol *Schr*] und gar w. (u. vil w. *Le*).
6412 sælden *H*] glůcke.
6413 al *H*] alles.
6414 die sch. *Le*] den Sch.
6416 ir wangen, ougen unde ir munt *Le*] ir Wangen, Ohren vnd ir M. (ir wange, ir ôren unde ir m. *H*, wangen ougen unde munt *Roth z. Schwanr. 734*, wangen ougen unde ir m. *JG*).
6417 warbe *H*] male.
6419 vil wol *J* (wol *H*).

die wunderlichen sache schîn,
daz diu vil schœnen kindelîn
6425 genesen beide wæren.
von den vil süezen mæren
wart er hôhes muotes vol.
wer möhte ir beider freude wol
gesagen und geschrîben?
6430 von zweier manne lîben
wart enpfangen sît noch ê
niender solhiu wunne mê.
Ouch wurden alle die gemeit
den diz wunder wart geseit
6435 daz in beiden was geschehen.
Dieterich begunde jehen
manicvalter wirde gote
und seite gnâde sîme gebote
daz er sô schône was genesen.
6440 der werde künic ûz erlesen
liez in mit hôhen êren
rîten unde kêren
wider heim ze Brâbant.
liute, guot, wîp unde lant
6445 enpfienc er wider alsô dô:
wan al die sîne wâren frô
des heiles und der künfte sîn.
im wart hie grôzer êren schîn
und manicvalter sælden hort.
6450 ouch wonte sîn geselle dort
in künicliche werdekeit.
waz touc hie lange von geseit?
gelücke in hôhe stiure bôt.

6432 niender solhiu *Le*] Nie solche (nie sô hohiu *H* *nach* *L*, nie so rîchiu *JG*). mê *H*] mehe.
6437 manicvalter *H*] mannigfaltige.
6438 seite gnâde *J*] sandte g. (seite genâde *H*).
6441 liez (*evt.* hiez *Le*).
6446 al *G*] *f.* sine *J* *nach* *B*] seinen (sînen *H*).
6447 künfte *H*] Zukunfft.
6449 manicvalter sælden hort *H*] mannichfaltiger glůckenhort.

si lebeten beide unz an den tôt
6455 frœlichen unde schône.
diz heil gap in ze lône
ir triuwe der si wielden.
wan si ze herzen vielden
gar lûterliche stætekeit,
6460 sô wart in sælde vil bereit
ze himele unde ûf erden.
got liez in beiden werden
sêl unde lîp behalten
durch ir manicvalten
6465 triuwe und umbe ir stæten art.
daz Dieterich generet wart
von sîner sühte mâsen
und daz diu kint genâsen,
daz hiez der süeze got geschehen
6470 durch daz die liute möhten sehen
unde erkennen wol dar an
daz er triuwe minnen kan
und inneclîche wârheit.
swer ein getriuwez herze treit,
6475 der merke wol diz mære:
sô mac er triuwebære
belîben unde stæte.
ez kan im valsche ræte
und alle untugent leiden.
6480 ouch mac ein man bescheiden
deste getriuwer immer wesen,

6454 unz *H*] biß.
6455 frœlichen *H*] frǒliche.
6456 diz *H*] das.
6457 ir triuwe *H*] irer treuwen.
6459 gar (vil *Le*).
6460 in sælde *H*] je glůck.
6461 ze *Le*] In.
6462 liez (hiez *Le*).
6467 sühte mâsen *H*] Seuchte masse.
6469 hiez *Le*] ließ.
6472 triuwe minnen *H*] treuwen lieben (daz im triuwe lieben kan *Le nach Hahn*).
6475 diz *H*] diese.
6478 ræte *H*] rede.
6481 deste *H*] desto (diu *J nach B*, des *Le*).

ob er diz buoch gehœret lesen
und dis âventiure wâr.
triuw ist ein tugent alsô klâr,
6485 swer si von herzen meinet,
daz er wirt gereinet
von schanden ûf der erden
und er ze himele werden
ûz erwelten lop bejaget.
6490 hie sî des mæres gnuoc gesaget,
wan ez nû gar ein ende hât.
von Wirzeburc ich Kuonrât
hân ez von latîne
ze tiuscher worte schîne
6495 geleitet und gerihtet
und ûf den trôst getihtet
daz ein herze wol gemuot
dar an ein sælic bilde guot
ze lûterlicher triuwe neme
6500 und sich der valsch untriuwe scheme
swenn er gehœre in sînen tagen
von sô fremdem wunder sagen
alsô den trûtgesellen zwein
umb ir hôhen triuwe erschein.

6482 gehœret *H*] hôret.
6490 des mæres *H*] der mår.
6491. 6493 ez *H*] sie.
6494 ze tiuscher worte *H*] zu Teutschen worten.
6495 geleitet *H nach L*] getheilet.
6500 der valsch untriuwe *Le*] der falschen Vntreuw (der untriuwe *seit H*).
6501 gehœre] hôre.
6503 alsô *G*] als. trûtgesellen *H*] viel traut G.
Nach 6504 AMEN.

ANHANG

Amicus und Amelius

(*aus* Cgm 523, *15. Jhd., schwäb.*)[1]

[92ra] HJe Hebt sich an die Hystori von den czwain kinnden die ein ander so gleich sahen; der ain hieß Amelius vnd der annder hieß Amicus.

CZů den czeyten da Pipinus künig was cz Franckreich
5 do wurden czway kind geborn vnd dieselben kind sahen einander gar gleich, daz man nit kund gewissen, welichs kind das oder daz annder wär. Das ain kind was ains grauen von Aluernensi, daz ander kind was ains ritters von ainer bürg genannt Bericano. Vnd da ir veter die kind
10 wollten tauffen vnd wărend auff dem weg gen Rom da geschachs, daz sy zůeinander chomen jn die stat Luca. Vnd da die veter sahend, daz die kind allz gleich anainander wărend, do daucht es ain groß dingk sein von got. Vnd komend da miteinander gen Rom czů dem băbst der
15 hieß Deodato. [92rb] Derselb baubst der taufft die kind vnd gab in namen vnd hieß dez grauen kind Amelius vnd dez ritte*r*s kind hieß er Amicus, vnd vil erber burger von Rom vnd auch ritter hubent die kind mit grosser freüd von dem tauff. Darnach do gab der baubst yedlichem
20 kind ainen hülczin koppff, vnd was ain koppff dem andern gleich, vnd gab in ŏch gold vnd edels gestain in den köpffen vnd sprach czů den kynnden, das sy daz söllten nemen czů ainer gedächtnüß vnd czů ainer czeügknüß, daz sy der baubst getaufft hett. Vnd also sandt sy der baubst
25 wyder haym jn ir land, jr yedlichen dannen er geborn waz. Vnd doch dieweil die kind beyeinander wăren, do lebten sy gar schon miteinander, vnd waz ains wolt, das-

[1]) *Der folgende Text ist ein buchstabengetreuer Abdruck. Lediglich die Interpunktion ist nach den modernen Regeln normalisiert. Großbuchstaben werden bei den Namen und am Satzanfang gebraucht. Die beiden s-Zeichen* (ſ, s) *werden nicht unterschieden. Die Abkürzungen sind aufgelöst, seltene Schreibversehen sind korrigiert* (*eingefügte Buchstaben sind dann kursiv gesetzt*).

selb wolt ŏch daz annder; wann ainß wolt essen, so wolt
daz ander auch essen. Vnd also komend sy von ainander
30 jn ire lannd. Darnach da nu Amicus des ritters sun ettwas
alt ward, da gab im got gnad daz gar ain weyser man auß
jm ward, vnd do er dreissigk [92va] jar alt ward, da ward
sein vater kranck. Vnd vor seinem tod enpfalch er jm, wie
er sich hallten sölt gen der werlt, das er vast barmherczigk
35 sein sölt, vnd vor allen dinngen enpfalch er jm, das er die
früntschafft dez grauen sun Aluernensi nit solt vergessen.
Vnd also starb sein vater; vnd nach seines vaters tod da
verstiessend in seins vaters fründe von allem seinem gůt
vnd dasselbig layd er allesament gedultigklichen. Vnd
40 doch nam er mit jm zehen knecht vnd kom zů dem grafen
Amelio vnd wolt mit demselben fürbaß sein czeit han
verczert. Vnd da er kom in daz land, do Amelius waz, da
was Amelius nit da haymend vnd kund in nit vinnden.
Zehand hůb er sich auff vnd kam zů Hyldegarden, die was
45 waz Karoli dez künigs von Franckreich haußfraw. Vnd
dieselb fraw waz gar ain weyse fraw vnd gab gůten răt
allen die in leyden vnd in ellend wăren. Vnd dieweil Amicus
sůchet Amelium, da was Amelius außgeritten vnd
sůchet Amicum, wann er hett wol gehört, daz sein vater
50 tod was vnd wie jn seins vaters fründ vertriben hetten
auß seinem lannde. [92vb] Vnd do Amelius Amicum nit
vand, do ward er gar traurig vnd verhieß got, daz er nit
wölt haym komen in sein lannd, biß das er Amicum fünde.
Vnd doch suchet Amicus allz lang Amelium, biß daz er
55 kom zů ainem edeln herren. Vnd do derselb herr höret,
wie es jm ganngen was, do gab er jm willigklichen sein
dochter.

Wie Amicus vnd Amelius einander sůchten vnd jn dem
hoff Karoly an ein ander funden.

60 Vnd DArnach anderthalb jar do chom Amicus gen
Parisius vnd sůchet Amelium. Vnd Amelius sůchet Amicum
wol czway jar. Vnd da Amelius nahet der stat Parisius,
da kom im ain pilgrin, vnd er sprach zů im, ob er

Amicum nit gesehen het. Do sprach der arm man, er het
65 in nye gesehen; do czoch er ab sein rock vnd gaben dem
armen man vnd bat in, das er got für in bät das er im
lonat seiner arwait, die er gehabt hett wol czway jar von
seins gesellen wegen. Vnd desselben tags zů der vesper
czeit, do kom Amicus ŏch czů dem armen man [93ra] on
70 allez geuärde und sprach zu dem armen man, ob er Ame-
lium nit gesehen het. Do sprach der arm man, wes er sein
also spottet: „waist du nit, daz du mir heüt den rock
geben hast vnd sprachst zů mir, ob ich nicht Amicum gese-
hen hett; warumb hastu dich also verkert". Da sprach
75 Amicus zů dem arm man: „ich bin Amicus vnd wil auch
nymmer laussen, biß daz ich Amelium vind". Vnd da
gab Amicus dem armen man daz almůsen naißwen vil
pfenning vnd bat in, das er got für in bät. Da sprach der
arm man zů Amico: „lieber ritter, bald soltu chumen jn
80 die stat Parisius, wann ich hoff du solt Amelium da vin-
den." Zehand hůb sich Amicus auff vnd vand Amelium
vor der stat Parisius auff ainem anger mit vil knechten.
Vnd da sy sahend, daz gewăppent volck zů in rayt, da
wolten sy wenen, es wären veind; vnd wesseten nit, das
85 Amicus waz. Do wesset Amicus ŏch nit, das Amelius waz
vnd also wolten sy gefochten han mit- [93rb] einander. Aber
got der alle herczen wol wayß der füget, daz Amelius vnd
Amicus wurden einander ansehen. Da sprach Amicus:
„lieben ritter vnd herren, wannen sind ir, warumb wöllent
90 ir Amicum vnd sein knecht as yemerlichen also dermür-
den. Nu bin ich doch vertriben worden von meinem vätter-
lichen erb, wes wölt ir mich zeyhen." Vnd da Amelius die
red höret, da erschrack er vast vnd erkennet, das Amicus
was. Zehand vielen sy ain ander an vnd kußten anein-
95 ander vnd danckten got seiner gnaden, daz ez in also er-
gangen was vnd gelobten an einander, das furbaß all treẅ
zů einander haben wollten, vnd komend miteinander jn
dez künigs hoff von Franckreich. Vnd da ward Amicus
dez künigs hofmaister vnd Amelius der ward truchseß.
100 Vnd da man sach, daz sy ainander allz gleich wărend, do
hett sy yederman schon vnd erlich.

Wie Amicus Amelium erlöset von dem tod vnd in behůb bey seinen eren vnd wie er zůbrăcht, daz im ward des künigs tochter.

105 [93va] Vnd darnach wol dreẅ jar da sprach Amicus zů Amelio: „ich wil reytten zů meiner frawen, die beger ich ze sehen; vnd wiß, daz ich schier wil her wider chumen. Vnd du solt dieweil beleiben an dez künigs hoff.“ Vnd enpfalch jm, daz er sich solt hütten vor dez künigs doch-
110 ter. Wann der künig hett ain ritter der hieß Aldericus, der selb săch der tochter vast auff. Vnd also schied er von jm. Aber Amelius der hielt der gebot Amico nit, wann jm die dochter seinen augen wol geuiel, daz er sy schwanger machet. Vnd da daz Aldericus der ritter jnnan ward, do
115 ward er fro, darumb daz er doch ettwas wyder in hett gen dem künig. Vnd sprach zů Amelio: „lieber grauff, waist du nit, ob Amicus dez künigs schaczmayster ob er dem künig den schacz verstolen hab. Vnd darumb ist er geflohen. Nu bitt ich dich treẅlich, daz du mir sagst die
120 wărhayt, so wil ich fürbaß all treẅ vnd früntschafft zů dir han.“ Wann er was alls ain böser man, daz er auff Amico argkwon hett, wie er dem künig das gůt hett verstolen vnd dauon [93vb] wär er geflohen. Vnd do Amelius daz hörtt, do wolt er jm sein hercz alß bald nit auff tůn.
125 Vnd ainßmăls do Amelius stůnd vor dem künig vnd solt dem künig wasser geben, da sprach Ardericus zů dem künig: „lieber künig, du solt nit wasser nemen von dem bösen man, wann er wirdig ist dez tods, wann er dein dochter geschennt vnd ir jr junckfreẅlich ër genomen
130 hat.“ Vnd erschrack Amelius vnd dorst den künig nit wol ansehen vnd viel also nyder vor vorcht, vnd doch der künig der hůb in gütlich auff vnd sprach zů im: „du solt dir nit fürchten, Ameli; stand auff vnd versprich dich.“ Do sprach Amelius zů dem künig: „lieber herr, du solt nit
135 glauben dem bösen man Arderico. Ich bitt dich aber treẅlich, daz du mir verleyhest ain frist, so wil ich mit mein fründen răt han vnd wil Arderico in ainem kamppff bestan vor dir vnd allen deinen knechten. Vnd also wil ich

mein er retten.“ Vnd dasselb geuiel dem künig wol. Vnd
140 zehand hůb er sich auff vnd rait zů Amico vnd viel jm cze
[94ra] fůssen vnd sprach zů im, das er wyder sein gepott
getan hett, vnd set jm, wie ez jm gangen wăr mit dez
künigs dochter, vnd wie in Ardericus verklagt het gen
dem künig vnd wie er mit jm ain kamppff versprochen
145 hett. Vnd da Amicus die red hört, do strauffl er in gar
vast, vnd doch sprach er zu jm: „wir süllen es got enpfel-
hen.“ Vnd do sprach Amicus zů Amelio: „wir süllen uns
verkern; du solt mein gewand annemen, so wil ich daz
dein an*n*emen, vnd leich mir dein roß vnd dein knecht, so
150 wil ich reitten zů dem künig in sein hoff vnd also wil ich
mich für dich in den tode geben vnd wil mit Arderico für
dich in den kamppff stan. Vnd du solt dieweil beleiben bey
meiner frawen.“ Vnd vor allen dingen enpfalch er im, daz
er sich sölt hütten vor seiner frawen, daz er mit ir nit
155 sünndet. Vnd also schyeden sy wainend von ainander. Vnd
zehand hůb sich auff Amelius vnd kom in das hauß Amico
vnd da wolt die fraw wenen, er wer ir rechter man. Vnd
wann er ze nachts bey ir schlieff, so lët er ain [94rb] schwert
czwischen sy vnd in vnd wenn die fraw schon wolt gen im
160 tůn, so sprach er zů ir, daz sy ez in überhübe, wann er nit
wol gůtz můtz wäre. Vnd dasselb traib er also mit der
frawen, biß daz Amicus chom. Nun Amicus der rait in dez
künigs hoff vnd wolt sich versprechen vnd wolt kemppffen
mit Arderico, der in verklagt hett. Vnd da sprach der
165 künig: „lieber grauff Amelius, du solt dir nit fürchten; jst
daz du Arderico ob leist, so wil ich dir geben mein doch-
ter.“ Zehand ze mornens zů preym czeit Ardericus vnd
Amicus chomend miteinander auff das veld. Vnd zů dem
kamppff chom der künig vnd allez sein volck. Vnd also
170 vachten sy miteinander. Vnd Amicus lag Arderico dez
kamppffs ob. Do ward der künig fro vnd gab im sein toch-
ter vnd gab im ain land vund ain stat vnd do er fürbaß
solt sein mit seiner dochter, darumb daß er sy auß dem
wort brăcht hett, die Ardericus auff sy gesagt het. Vnd
175 Amicus czoch haym [94va] zů seiner frawen vnd sagt
Amelio, wie er wer obgelegen Arderico des kamppffs vnd

wie er jm die dochter hett gewunnen. Vnd do zoch Amelius haym zů der dochter vnd Amicus belaib bei seiner rechten frawen vnd dancket got seiner gnaden.

180 Wie Amicus ausseczig ward vnd wie in Amelius schon enpfieng in sein hauß.

Vnd da Amicus also belaib bey seiner frawen, do grayff in got an, daz er ausseczigk ward, das er allz kranck ward, daz er nicht wol auffstan mocht von seinem bettlein. Vnd
185 sein fraw ward im gar veind vnd hett in alltag gern ertött. Vnd do er daz sach von seiner frawen, da nam er zwien knecht vnd sprach zů in: „fürend mich hyn von meiner frawen vnd nement mein koppff mit jüch wol haymlich vnd fürend mich auff mein burg Bericanum, von der ich
190 geborn bin.“ Vnd zehand fůrten in die czwien knecht in sein vätterlich land vnd sein volck sprachend zů den knechten, wer der kranck man wär, den sy fůrten. [94vb] Da sprachent sy, es wär Amicus ir herr, den got hett ausseczig gemacht vnd wär zů in chomen daz sy sich über in
195 erparmeten. Zehand wurden sy czornig uff die knecht vnd schlůgent sy vast vnd wurffend Amicum ab dem wagen vnd sprachen zů in, sy söllten daz nymmermer reden oder sy müsten sterben. Vnd da ward Amicus vor layd wainen vnd sprach: „lieber got, ich bitt dich, daz du mich laussest
200 sterben, oder chum mir aber zů hilff mit deiner barmherczigkait.“ Vnd darnach kom er gen Rom und der baubst gieng jm engegen vnd auch die andern burger von Rom, die in auß der tauff gehebt hetten. Vnd bey denselben waz er wol dreẅ jar, daz im der baubst vnd die Römer
205 groß tugent vnd barmherczigkait mittailten. Nach den dreyen jaren kom großer hunnger jn daz lande vnd gen Rom, das man Amicum vnd sein knecht auß Rom trayb vor hunnger. Vnd da bat er sein knecht, daß sy in fůrten jn dez grauen Amely hauß. Vnd do er chom für die tür
210 oder hoff Amely, da kleppret er mit seinen [95ra] tefelin vor dem hoff vnd das man im geb daz almůsen. Vnd do das der grauff Amelius hört, do sprach er zů ainem knecht,

das er nem brot vnd flaisch vnd sein koppff, der jm von
Rom wer worden, vnd denselben koppff brecht voller
215 weins vnd es geb dem armen menschen. Cze hand verbracht der knecht dasselb. Vnd da der knecht kom wider
zů seinem herrn Amelio, da sprach er czu jm: „werlich
herr der arm mensch hat ain koppff, derselb koppff ist
gleich allz dem koppff, und hett ich den koppff nit gehebt
220 in meiner hand, ich het daucht ez wär dein koppff gewesen.“ Czehand můst der arm man für den grauen Amelium
chumen. Da sprach zů jm Amelius, wannan er wär oder
wie im der koppff worden wäre. Da sprach der arm man zů
Amelio, daz er wär von Bericanus der bürg, vnd der baubst
225 von Rom, der hieß Deodatus, het in getaufft vnd hett im
den koppff geben. Czehand kant Amelius, das es Amicus
was, der in hett von dem [95rb] tod erlöst vnd im dez
künigs tochter hett beholffen, und zehand viel er auff in
vnd wainet vnd kußten. Vnd dez künigs dochter, Amelius
230 fraw, dieselb viel auch auff in vor freẅden vnd kußt in
auch vnd wainet vnd gedǎcht, wie er Ardericum vberwunnden hett von jren wegen. Vnd zehand furten sy in jn
ir hauß vnd taylten allez ir gut mit jm.

Wie Amelius Amicum gesund machet mit dem plůt
235 seiner czwayer kinnde.

Czů ainer nacht da sach Amicus den engel Raphael zů
im sprechen, daz er sprech zů Amelio, daz er seine zway
kind töttet vnd dassel blůt nem vnd Amicum mit dem
plůt bestreich, so würd er gesund. Vnd dasselb set Amicus
240 mit grossem schrecken dem grauen Amelio. Vnd do Amelius höret die wort, do ward er gar trawrig vnd ward im
sein hercz gar schwer vnd doch gedǎcht er an die grossen
treẅ vnd lieb, die [95va] jm Amicus gethan het mit Arderico, wie er für in jn den tod gangen waß vnd jm hett beholffen, daz man jm dez künigs dochter geben het. Vnd
245 nam ain schwert vnd gieng in die kamer, da die kind
schlieffend. Vnd da er die kind ansach, da ward er gar
jamrig vnd wainet vnd sprach zů den kinden: „wer hat

nie gehört, daz ain vater seine kind allz willigklich müß
250 tötten. Ach ich armer man, wann ich fürbaß nymer ewer
vater bin, wann ich layder ewer veind sein můß vnd ewer
plůtuergiesser.“ Vnd da der vater also klaget vnd wainet,
da wurden die kind erwachen auß dem schlauff vnd sahend
jren vater an und lachten. Da sprach der vater zů den
255 kinden: „ewer lachen vnd freud wirt ewer tod, wann
ewer plůt wirt vergossen von ewrem bösen vater.“ Vnd
also nam er daz schwert vnd töttet die kind vnd let sy
wyder nider an daz bettlein vnd dackt sy czů, vnd wam daz
plůt vnd straich seinen gesellen mit dem plůt, vnd sprach
260 zů got: „lieber herr, du hast botten, das die menschen die
[95vb] glauben söllen hallten. Vnd den ausseczigen menschen
möchtestu mit ainem wort gesunnt machen. So bitt
ich dich auch trewlich, daz du meinen gesellen gesunt
machest mit dem plůt, von dez lieb wegen ich meiner kind
265 plůt vergossen han. Zehand da ward er gesunnt, vnd
Amelius ward vast fro vnd tätt jm sein bests gewant an
vnd fürt in gen kirchen, das sy got danckten seiner gnaden.
Do wurden sich die gloggen selber leütten zů ainem
besunndern zaichen daz beschehen was. Vnd do daz die
270 gräfin hort, Amelius fraw, do kom sy auch gen kirchen vnd
allez volck, das die gloggen leütten hort, komen all czů
dem zaichen. Vnd die gräfin, Amelius fraw, do die sach, daz
Amelius vnd Amicus miteinander giengend, do westet sy
nit, welicher ir man wär, dauon daz Amelius vnd Amicus
275 allz gleich einander wären, vnd ward vorschen welicher ir
man wär.“ Ich kenn wol die zway gewand. Aber welicher
der grauff Amelius ist, dez wayß ich nit.“ Da sprach der
grauff zů ir: „ich bin Amelius vnd der jst Amicus, [96ra]
mein gesell, vnd ist gesunt worden.“ Aber da Amelius
280 daucht an seine kind, da ward er groß seüffczen tůn. Vnd
darnach sprach die gräfin, daz man ir die kind brächti;
wann sy wolt wenen, sy schlieffen noch. Do sprach der
grauff Amelius zů der gräffin seiner frawen: „wir süllents
noch ain stund laussen schlauffen.“ Vnd do gieng er allain
285 selber in die kamer, das er über die kind klaget vnd wainet.
Vnd er vand die kind, daz sy lebten vnd schympptten

vnd lachten miteinander; vnd rot måsen allz klain allz ain vaden giengend vmb ir kelen, vnd dieselben roten måsen sach man in an biß daz sy sturben. Vnd er nam die
290 kind an sein arm vnd trůg sy vnd let sy jn die schoß der můter vnd sprach: „liebe haußfraw, du solt dich frewen, wann deine kind die lebend. Denn der engel Raphahel hieß mich sy tötten; mit dem plůt ich Amicum gesunt gemacht hab.“ Vnd fürbaß der grauff Amelius vnd sein
295 haußfraw beliben rain vnd wollten nymmer [96rb] beyeinander ligen durch gotz willen, vnd verpråchten fürbaß den gotz dienst mit grosser andacht, mit almůsen vnd mit andern guten dinngen. Vnd daz böß weib, Amicus hausfrawen, die Amicum vertrieben hett von seinem gůt vnd
300 lannd, die derczartt der Teüfel vnd ward besessen mit dem teüfel biß daz sy starb. Vnd darnach samnalt Amicus groß volck vnd czoch in sein land vnd gewan allez sein land wider vnd vergab allen den, die wider in gethan hetten. Vnd fürbaß lebet er wol mit seinem volck vnd ver-
305 czeret fürbas all sein tag mit gottes lob. Amen. Hie hat die hystori ein ende von den zwain kinden, die einander allz gleich wåren.[2])

---

[2]) *Proben unserer Übersetzung gibt A. Schönbach, Mitteilungen aus altdt. Handschriften, in: Sitzungsberichte der Wiener Akad. d. Wiss., phil.-hist. Kl., 78, 1878, S. 849ff. Der Vergleich mit lat. Versionen von Amicus und Amelius erweist die nahe Verwandtschaft unseres Textes mit der Bearbeitung des Vincent von Beauvais.*